머리말

　젊고 건강한 삶을 영위하기를 원하는 것은 인간의 기본적인 염원이지만 모든 성인은 하루하루 노화하면서 살아가고 있다. 나이가 든다는 것 즉 늙고 있다는 것은 물론 서글픈 일일수도 있으나 생각해보면 꼭 그렇게 아쉬운 일만은 아니다. 왜냐하면 우리는 나이가 들면서 철없던 시절에는 몰랐던 지혜를 터득하기도 하고, 다양한 경험으로 인해 이해의 폭이 넓어지기도 하는 등 성숙한 자아를 만날 가능성이 많아지기 때문이다. 노년기가 되면 정신적 성숙이나 인생의 참 의미를 깨닫는 성찰 능력이 더욱 깊어지지 않을까 하는 기대는 노년기 신체적 노화에 대한 아쉬움과 서글픔을 조금이나마 희석시켜 주곤 한다.

　그러나 이런 기대는 어디까지나 정신이 맑은 노인으로 살아갈 수 있다는 보장이 있을 때 가능한 얘기다. 내가 기억하던 사물이나 사람의 이름이 기억나지 않고, 사랑하는 사람과의 추억도 서서히 때로는 말끔히 지워질 수 있으며, 여기가 어디인지 지금이 언제인지 가족이 누구인지 나아가 내가 누구인지에 대해 알지 못할 수도 있는 상황은 적어도 우리가 기대하던 내면이 성숙해진 노년기의 모습은 아니다. 게다가 주변인들의 삶에 좋은 기억을 더 남겨주어도 아까울 시간에 그들에게 피해를 줄 수도 있고, 그들의 삶마저 힘들게 할 수도 있다. 조금씩 늙어가며 몸이 무거워져도 스스로 일상생활을 유지할 수 있다면 노년의 삶도 괜찮을 텐데 치매는 이러한 작은 소망마저 앗아간다.

　치매는 언제 누구에게 어떻게 올지 모르는 질병이지만, 자신이나 가족, 주변인이 치매에 걸리기 전까지 사실 치매는 남에게 일어나는 일로 생각하고 사는 경우가 많다. 대개는 멀찍이서 설마 내가 걸릴까 또는 안 걸리면 좋겠다고 생각하고 살뿐이다. 그러나 치매는 노년의 어느 날 아침 갑자기 걸리는 질병이 아니며 치매의 원인 질환도 80-90가지나 알려져 있다. 이미 치매에 걸리고 나서 뒤늦게 원인을 알아보고 증상과 치료법을 알아보아도 이전과 같은 일상생활은 기대하기 어려운 경우가 대부분이다. 그래서 치매는 예방이 중요하다. 그리고 이미 발병했다면 현재의 상황에서 최선의 관리와 보호가 필요하다. 그래서 이 책에는 치매의 종류와 증상, 치매예방과 치료교육, 치매노인과 가족의 보호와 관리 등을 자세히 담았다.

이 책을 통해 아직 치매 걱정이 없다고 생각하는 나이대의 독자에게는 논리적 이해와 작은 위협으로 무심코 행하고 살 수도 있는 치매를 유발하는 식생활이나 습관을 치매를 예방 습관으로 바꾸어 가는데 도움이 되길 희망한다. 또 치매에 걸린 주변인이 있는 독자에게는 치매 환자를 진심으로 이해하고, 소통하며, 함께 즐겁게 활동할 수 있도록 소개한 다양한 이 책의 내용들이 그들의 삶에 조금이라도 기여하기를 바란다.

마지막으로 이 책을 읽는 모든 분들이 아름다운 노년기를 보낼 수 있기를 깊이 소망한다.

저자 **윤소영**

목 차

제1장

치매의 원인과 종류별 특성

제1장
치매의 원인과 종류별 특성

1. 치매의 개념과 문제점

(1) 치매의 개념

치매라는 말은 Dement라는 라틴어에서 유래된 것으로 Dement는 '없다'는 뜻의 'de'와 정신이라는 뜻의 'ment'가 합해진 말이다. 치매가 '정상적인 마음과는 거리가 멀어진 것' '정신이 없어진 것'이라는 의미를 지니는 만큼, 치매에 걸리면 이전까지 얻은 지적인 기능들이 급격하게 떨어지는 상태가 된다. 의학적으로 치매는 나이가 들어감에 따라 정상적으로 발달한 뇌가 후천적인 외상이나 질병 등 외부적인 요인에 의해 손상되거나 파괴되어 언어·학습·지능 등에 대한 전반적인 인지기능과 고등정신기능이 비정상적으로 감퇴되는 복합적인 임상증후군을 포괄적으로 이르는 질병이다. 보통 기억장애, 판단장애, 지남력장애, 계산력장애, 판단장애 등 인지기능이 저하되고, 성격 변화 등의 정서장애가 수반되며, 실행증, 실어증 등 일상생활 수행기능의 장애를 초래하게 된다.

세계적으로 치매환자가 늘고 있는 가운데 우리나라도 고령화와 함께 치매환자가 급증하고 있는 추세이다. 치매의 종류별 발병 비중은 알츠하이머병 치매가 69%로 가장 많고, 혈관성치매 21%, 루이체/파킨슨치매 4%, 기타 치매가 6%이다. 현재 50대가 70대가 되는 2035년에는 치매환자가 157만 명, 30대가 70대가 되는 2055년 에는

287만 명으로 20년마다 2배씩 증가 할 것으로 예측되고 있다.

(2) 치매의 사회적 비용과 치료비용

노인 인구의 증가에 따라 치매로 인한 사회적 비용이 급증하고 있다. 2013년 기준으로 치매로 인한 사회적 비용은 11조7천억인데, 2050년에는 43조를 상회할 것이라는 분석이 나오고 있다. 치매는 한번 걸리면 완치가 불분명한 경우가 많고, 발병 후 장기간 생존하면서 보호자나 간병인의 보호가 필요한 경우가 많아 경제적인 지출이 많은 질병이다.

보건복지부와 분당서울대병원이 실시한 치매노인 실태조사에 따르면 2010년 기준 치매환자 1인당 치료비용은 1850여만 원으로 조사되었다. 이 중 의료비가 980여만 원으로 가장 많은 비용을 차지하였고 비공식 간병비 포함 간병비가 400여만 원 이상 지출되었다. 따라서 국가차원과 개인적 차원에서 치매예방에 힘써야 치매로 인한 국가적, 가정적, 사회 경제적 손실을 줄일 수 있다.

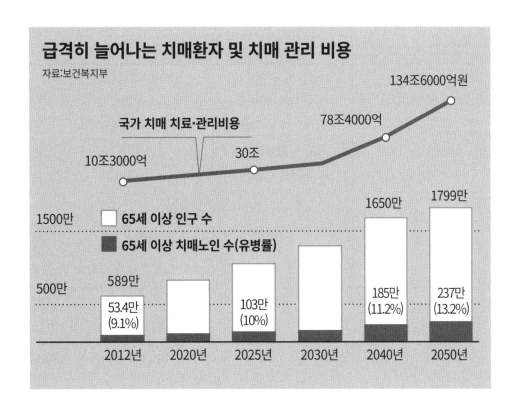

급격히 늘어나는 치매환자 및 치매 관리 비용
자료:보건복지부

2. 치매의 원인과 종류

(1) 치매의 원인

치매는 내과, 신경과 및 정신 과 질환 등 70~80가지 이상의 원인에 의해 야기되는 질환이다. 노인성 치매의 원인으로 가장 중요시되는 것은 원발성 퇴행성 치매로 알츠하이머병과 뇌동맥경화증 및 기타 뇌혈관장애가 원인이 되는 혈관성 치매 중 다발경색성 치매가 대표적이다. 기타 질병에 의한 치매로는 픽병(Pick disease), 크로이츠펠트-야콥병(Creutzfeldt-Jakob disease), 헌팅톤병(Huntington disease), 후천성면역결핍증 감염에 의한 치매를 들 수 있다. 또한 오랜 기간 다량의 알코올 섭취로 인하여 전반적인 인지기능이 장애가 나타나는 알코올성치매도 있으며, 최근 급증하고 있는 각종 산업재해 및 교통사고 등으로 인한 외상 후 치매도 치매의 주요 원인으로 지적되고 있다.

치매의 위험 요인		
확실한 위험 요인	예상되는 위험 요인	가능한 위험 요인
노령 치매 병력의 유전 우울증 병력 다운증후군 가족력	낮은 교육 정도 비정상적인 단백질 유의한 두부 외상 갑상선 기능 저하 뇌혈관 질환	APO-e4 대립 유전자 음주 독성물질 알루미늄 에이즈 영양 장애 흡연 바이러스 어머니의 고령 출산(40세 이상)

(2) 치매의 종류

치매는 후천적으로 기억력, 시공간 능력, 언어 능력, 집중력, 실행 능력 등의 인지기능이 떨어지고 이로 인해 일상생활에 지장이 생기는 질환이다. 치매에 걸리면 흔히 증상이 서서히 나타난다는 인식이 있는데, 원인에 따라 증상이 서서히 나타나기도 하고 급격하게 나타나기도 한다.

서서히 치매가 되는 퇴행성 뇌 질환은 알츠하이머병, 루이소체 치매, 전측두엽 치매, 피질하 혈관성 치매, 파킨슨병이 있으며, 갑자기 치매가 되는 비 퇴행성 뇌 질환은 뇌졸중이나 뇌출혈 이후 치매, 두부외상 후 치매, 감염성 질환으로 인한 치매, 신체 질병에 의한 치매가 있다.

치매의 종류별 분포를 보면, 미국의 경우 알츠하이머형 치매가 약 50~60%를 차지하고, 혈관성 치매가 15~20%, 기타 치매가 약 10~20% 정도로 추정된다. 동양의 경우 서양에 비해 혈관성 치매 발병률이 조금 더 높게 나타난다.

완치 가능 여부에 따른 분류

완치 불가능한 치매	완치 가능한 치매
알츠하이머병 픽병-전두측두엽 치매 루이소체 치매 혈관성 치매 야곱병	우울증 영양결핍 감염 호르몬 이상

3. 알츠하이머(Alzheimer) 병

(1) 원인과 위험 요소

알츠하이머는 1907년 Alois Alcheimer라는 의사가 발견한 치매로, 지금까지 알츠하이머형 치매의 발병 가능성이 높다고 알려진 대표적 위험요인으로는 연령, 성별, 교육수준, 가족력, 출생시 부모 연령, 두부외상, 흡연, 다운증후군의 가족력,

우울증의 과거력 등을 들 수 있다.

■ 원인 : 대뇌의 위축, 신경세포의 소실, 아밀로이드베타 침착으로 알려져 있다.

■ 연령 : 알츠하이머 치매는 60세 이후 급증한다.
　　　　매 5.1년마다 유병률은 두 배가 된다.

■ 혈통, 유전적 원인 : 양쪽 부모가 알츠하이머 치매에 걸렸던 사람은 한쪽 부모만 알츠하이머 치매에 걸렸던 사람보다 1.5배 위험하고, 양부모가 모두 정상인 사람보다는 무려 5배 정도 더 위험하다.

■ 여성 : 여성의 경우 알츠하이머 치매에 더 위험하다. 93세 이상 여성은 남성보다 13% 정도 알츠하이머 치매에 걸릴 위험이 크다. 하지만 여자의 평균수명이 남자보다 훨씬 길다는 것을 고려하여야 한다.

■ 교육의 부족 : 교육수준이 낮을수록 알츠하이머 발병율이 높다.

■ 두부 외상 : 두부 외상이 있었던 사람은 치매의 상대 위험도가 2배 이상이다.

■ 치매환자의 출생시 어머니의 연령이 높은 경우(40세 이상)에 알츠하이머형 치매의 발병과 연관이 높다.

■ Down증후군 가족력
Down증후군 환자가 30~40세 이상 생존하는 경우, 사후 뇌 조직을 보면 알츠하이머형 치매 환자의 신경병리적 소견과 거의 일치되는 소견을 보인다고 한다. 21번염색체 삼체성 형성이 알츠하이머형 치매를 일으키는 위험요소가 된다는 보고 가 있다.

(2) 진행 단계별 증상

알츠하이머형 치매는 점진적으로 서서히 진행되는데, 진행방법이나 속도에는 개인차가 있다. 보통 혼란기 과정은 5~6년, 건망기 과정은 2~3년, 치매기는 10년 정도이고 10년 이내에 사망하는 경우가 많다.

알츠하이머병의 초기에는 가벼운 기억력 장애나 단어연상의 어려움 정도가 나타나다가 중기에 이르면 기억장애가 심해지고 실어증, 실행증, 실인증 등이 동반된다. 또 망상, 초조, 우울증과 같은 행동 장애가 나타나다 말기에 이르러서는 인지기능이 매우 감퇴하고 대소변을 가리지 못하게 된다.

단계별 증상

단 계	증 상
초 기	최근 기억력은 떨어지나 과거 기억은 비교적 잘 유지됨 시간 지남력이 저하됨 공간 지남력은 비교적 유지됨 우울증, 무감동, 짜증, 의심 등 기분상의 변화가 나타남 단어 찾기 곤란 등 가벼운 언어 장애
중 기	최근 기억이 보다 빨리 사라지고 과거 기억도 저하되기 시작 시간지남력 장애 공간지남력 장애 (익숙한 장소에서도 방향감각 저하) 언어 표현력이 감소, 이해력이 저하되기 시작함 정신행동 증상이 다양하게 나타남 (의심, 불안, 초조, 우울, 충동)
말 기	대부분의 기억을 상실함 (수 분 전에 일어난 일도 기억 못함) 가족이나 주변 사람을 못 알아 봄 신체 운동 장애가 나타남 (대소변 실금, 경직, 보행장애 등) 언어 표현이나 이해력이 매우 저하됨 (심하면 무언증) 방향 감각이 매우 저하 (집안에서도 화장실 찾지 못함) 불안, 초조, 우울, 공격적 행동, 이상행동이 심해짐

(3) 알츠하이머형 치매의 단계적 진행 경과와 발달연령

① 알츠하이머형 치매의 일상생활에 근거한 중증도 판정법

단 계	임상진단	특 징	연 령
1	정상성인	주관적, 객관적으로 기능장애 없음	성인
2	정상노화	건망증, 작업곤란 호소, 기타 소견은 없음	
3	경계역	직업상 복잡한 작업이 불가능	청년 성인
4	경도 알츠하이머	물건 구입, 돈 관리, 계획 등 일상생활에서 복잡한 작업이 어려움	8~사춘기
5	중등도 알츠하이머	상황에 맞는 적절한 옷을 고르지 못함 목욕을 달래서 시켜야 함	5~7세
6a	심화된 중도 알츠하이머	스스로 바른 순서로 옷을 입지 못함	5세
b		목욕을 싫어하고 목욕시 도와주어야 함	4세
c		화장실 물 내리는걸 잊거나 닦는 걸 잊음	48개월
d		요실금	36~54개월
e		변실금	24~36개월
7a	중도 알츠하이머	어휘가 5개 이하로 감소함	15개월
b		"네""응"등 어휘가 1개가 됨	12개월
c		보행기능을 잃음	12개월
d		앉은 상태를 유지하는 기능을 잃음	24~40주
e		미소 상실	8~16주
f		머리 고정 불가능, 의식 소실	4~12주

Reisberg B: Geriattrics 41:30-46, 1986

② 대응 포인트

첫째, 알츠하이머형 치매가 발병한 시점이 초등학교 3~4학년의 인지기능 정도를 가지고 있다는 것을 이해하면 환자를 이해하는데 도움이 된다. 몸은 성인의 몸이지만 인지기능이 아동 수준이라는 것을 이해하고 잘 타이르고 칭찬하면 학습도 가능하다. 치매 증상에 대해 혼내면 적대감을 가지게 되므로 아동 수준의 인지기능 정도를 이해하고 대하도록 한다.

둘째, 인지기능이 유아 수준이라고 해서 유아를 대하는 듯한 말투나 태도는 삼가고 환자를 존중해 주어야 한다.

셋째, 알츠하이머형 치매가 발달과정을 역행하는 단계를 거치더라도 말없는 케어보다는 칭찬, 따뜻한 마음을 표현하는 케어가 필요하다.

(4) 진단

검사 종류	목적
병력 청취	문진, 상황에 대해 물어보는 기초 단계이자 가장 중요한 절차
인치 기능 검사	환자의 주의력, 기억력, 언어기능, 시공간능력, 전두엽기능을 점검
혈액검사	간기능 검사, 갑상선 검사, 성병 검사 등 알츠하이머 외에 다른 이차적인 치매를 찾기 위해 실시함 치매 위험 유전자 검사와 병행하여 실시하기도 함
뇌 촬영	MRI - 해마 위축 등 뇌의 구조적 이상 탐지 　　　뇌종양, 뇌출혈, 뇌경색, 수두증 등 치매의 다른 원인 파악 PET 촬영 - 뇌에 아밀로이드 침착 여부 확인
뇌척수액 검사	아밀로이드 농도를 재는 검사로 조기 진단에 유용

(5) 치료

① 약물치료

기억과 연관된 신경전달 물질인 아세틸콜린의 농도를 높이는 약물로 도네페질,

리바스티그민, 갈란타민이 쓰인다. 이 세 약물은 아세틸콜린을 분해하는 효소를 억제하여 아세틸콜린의 농도를 높여주며, 메만틴이라는 약물은 NMDA 수용체를 억제하는 역할을 한다. 그러나 이러한 약물 치료는 병의 진행이나 증세 호전을 기대할 수는 없고 빠르게 악화되는 것을 막아줄 뿐이다.

② 비약물요법

음악치료, 운동치료, 원예치료, 향기치료, 미술치료, 차치료, 이야기치료, 독서치료, 요리치료, 스노즐렌, 인정치료, 사진치료, 회상치료, 동물매개치료 등으로 인지기능과 행동장애를 개선해가는 치료방법이다.

4. 혈관성 치매

뇌로 향하는 동맥은 대동맥, 목동맥(경동맥)을 거쳐 뇌 안으로 들어갈 여러 갈래 작은 혈관, 모세혈관으로 이어진다. 이 혈관이 막히게 되면 한꺼번에 많은 양의 뇌세포가 소실되고 이런 증세가 반복될 경우 혈관성 치매가 발생하게 된다. 혈관 치매는 뇌혈관 질환(혈관 막힘 : 뇌경색, 혈관 터짐 : 뇌출혈)이 누적되면서 생기는 치매로, 알츠하이머병에 이어 두 번째로 흔한 치매이다. 서양의 경우는 혈관치매 환자가 전체 치매 환자의 약 15~20%를 차지하지만, 우리나라는 20~40%를 차지할 정도로 높은 비율로 나타나는 치매이다. 보통 혈관 막힘으로 인한 치매가 혈관 터짐으로 인한 치매보다 훨씬 많다.

(1) 원인

뇌혈관 질환이 누적되어 나타나며 고혈압, 고지혈증, 당뇨병, 심장병, 흡연, 비만, 운동 부족인 사람들에게서 자주 나타난다.

(2) 종류

다발성 뇌경색치매, 빈스방거병, 대뇌 아밀로이드 혈관증, 다발성 대뇌 색전증, 심장성 치매가 있다.

① 다발성 뇌경색치매

- 발병 : 큰 혈관이 반복적으로 막히면서 생기는 혈관치매로 뇌졸중 후에 자주 발생된다. 뇌경색 발생 후 재발하지 않도록 하는 것이 가장 중요하다.

② 피질하 혈관치매

- 발병 : 작은 혈관이 반복적으로 막히면서 생기는 치매를 말한다. 작은 혈관이 막히면 한 번에 손상되는 뇌세포의 양이 적기 때문에 무증상 뇌경색이 생기는데, 이런 증상이 반복되면 치매증상이 생기게 된다.
- 증상 : 의욕상실, 무감동, 조용해지거나 화를 억제하지 못한다.

(3) 증상

발음장애, 편마비, 감각이상, 시야장애, 보행 장애 등이 나타나며, 실어증, 실행증 등을 동반하기도 한다.

가성구마비	구음장애(말하기 어려운 상태), 연하장애(음식을 목으로 삼키기 어려움)
운동마비, 감각장애	균형감각 불량
실행기능 장애	일을 순서대로 못함, 집안일을 어려워 함
정신기능	우울감정, 자발성 저하, 야간 섬망(안절부절 등 과다행동)
합병증	협심증, 부정맥, 고혈압증, 당뇨병, 고지혈증
파킨슨 증상	균형감각 불량, 종종 걸음
주의장애	시야 장애

(4) 진단

혈관치매 진단은 MRI(뇌 촬영)와 MRA(뇌의 혈관 촬영)라는 뇌 촬영이 필요하다.

(5) 치료

혈관치매는 조기에 진단하여 치료하면 진행을 막을 수 있기 때문에 조기발견이 매우 중요하다. 위험요소(고혈압, 당뇨, 흡연, 운동 부족, 비만, 고지혈증 등)를 없애는 습관이 먼저 필요하고, 아스피린 계통의 약(항혈소판제)이나 와파린(항응고제) 등을 복용해야 한다. 항혈소판제는 혈관 벽에 피가 엉겨 혈전을 만들고 혈관을 막는 것을 억제하는 목적으로 쓰이고, 항응고제는 응고된 피가 뇌혈관을 막는 현상을 예방, 치료하고 뇌경색이 진행될 때 사용한다. 칼슘길항제가 쓰이기도 하는데, 이는 신경세포의 영양공급을 원활히 하는 역할을 한다.

(6) 혈관성 치매환자가 주의해야할 점

■ **금연**

흡연은 피를 걸쭉하게 만들어 혈류량을 감소시켜 혈관 치매를 악화시키므로 담배를 끊어야 한다.

■ **콜레스테롤 섭취 제한**

동물성 지방을 많이 섭취하면 콜레스테롤 수치가 높아지므로 콜레스테롤이 높은 음식은 피하도록 한다.

■ **갑작스런 온도변화 금지**

따뜻한 곳에 있다가 갑자기 찬 곳으로 나가거나 사우나의 냉온탕을 번갈아 들어가면 혈관이 수축하면서 뇌혈관이 막힐 수 있다.

■ **고혈압 관리**

염분의 섭취를 최소화하고 고혈압 약을 꾸준히 복용하여 혈압 관리를 해야한다.

■ **당뇨 관리**

당뇨 관리를 위한 식습관 및 당뇨관리 약을 잘 복용해야 한다.

■ **규칙적인 운동**

하루 30분씩이라도 규칙적인 운동을 하는 습관이 매우 중요하다.

■ **사레 주의**

혈관성 치매 환자들은 삼키는 능력이 저하되어 사레에 걸리기 쉬우므로 한번에 먹는 양을 적게 하고, 천천히 씹으며 먹도록 해야 한다.

■ **폐렴 주의**

열이 나면 폐렴을 의심하고 병원으로 빨리 가보도록 한다.

5. 전두측두 치매

전두측두치매는 앞쪽 뇌부터 시작하여 뒤쪽 뇌로 퍼지는 치매로, 전두엽 뿐만아니라 측두엽도 손상되므로 전두측두 치매라고 한다. 전두측두엽 치매는 전체 치매 환자의 10% 정도에 해당하며, 성격이 변하는 유형, 행동이 달라지는 유형, 의사소통 능력이 떨어지는 유형으로 나누어진다.

(1) 증상

주로 성격 변화나 이상행동을 하기 시작한다. 말수가 적어지고 의욕이 감소하며 화를 내거나 식욕조절을 못하는 등 충동을 억제하지 못하게 된다. 기획 기능이 떨어져 융통성, 계획성과 판단력도 저하된다. 강박적 행동을 하기도 하며 말을 함부로 하는 경향이 생기기도 한다. 판단력 저하와 충동 억제의 어려움, 폭력성 등의 증상이 나타나므로 알츠하이머형 치매보다 주변 사람들을 더 힘들게 한다.

(2) 종류

① 행동장애형 전두측두형 치매

전두엽에 문제가 생기면 인간다움을 상실하고 유아적으로 변한다. 기억력은 비교적 유지하나 자신이 병에 걸렸다는 인식을 하지 못하고, 타인의 마음을 공감하지 못하고 규칙을 지키지 않는 증상이 나타난다. 참을성이 없어지고 가만 있지 못하고 같은 행동을 반복하는 등의 증상이 나타나기도 한다.

행동장애형 전두측두형 치매 체크리스트

	문 항	예	아니요
1	이전보다 쉽게 화를 냄		
2	사소한 일로 갑자기 화를 냄		
3	가만히 있지 못함		
4	물건을 훔치는 등 반사회적 행동을 함		
5	기분이 쉽게 변함		
6	고집을 부림		
7	같은 곳을 계속 도는 일이 있음		
8	최근 기호에 변화가 있거나 단 것을 좋아하게 됨		
9	잘 참지 못함		
10	정해진 시간에 정해진 일을 안 하면 못 견딜 것 같음		

② 의미성 치매

측두엽이 위축되는 치매는 물건의 이름을 대지 못하는 것이 특징이다. 예를 들면 연필 좀 달라고 부탁을 받아도 연필이 무엇이냐고 물어보는 일 등이 생긴다. 물건의 이름과 개념 연결을 못하는 것이다. 얼굴을 보고 누구인지 알아보지 못하는 경우도 있다.

(3) 치료

간호하기 힘든 증상을 진정시키기 위해 행동을 조절하는 약은 있으나 질병 자체를 바꾸는 약은 거의 없다. 편안하게 생활하도록 노력하고 건강한 생활습관을 유지하는 것이 중요하나, 피치 못할 경우 항정신병 약으로 진정시킨다.

6. 루이소체 치매

루이소체는 뇌의 피질(가장 바깥 부분) 속 신경세포 안에 생기는 nm(나노미터 ·10억분의 1m) 크기의 비정상적인 단백질 덩어리로, 루이소체 치매는 손상된 신경 세포에서 관찰되는 단백질 무리인 루이소체가 대뇌 세포에 쌓이면서 나타나는 퇴행성 질환이다.

(1) 증상

환각, 수면 이상행동, 망상, 우울증 등 비정상적인 정신행동 증상이 나타나면 루이소체 치매가 의심된다. 실어증, 기억상실증, 수면장애나 집중력 장애, 공간-지각장애 등도 발생한다. 파킨슨병과 같은 운동실조, 근경직과 같은 운동장애가 나타나기도 하며 증상이 심해졌다 좋아졌다 하다가 매우 심해지는 상태가 된다. 증상이 개선과 악화를 반복하다 보통 10년 이내에 사망하게 된다. 알츠하이머형 치매보다 언어능력, 집중력, 집행기능, 시공간능력 등 정신운동 속도에서 더 많은 결함을 보이나, 알츠하이머형 치매보다 기억력 장애는 가벼운 편이다.

루이소체 치매의 주요 증상은 다음과 같다.

후각	후각이 둔감해 짐
자율신경 이상	현기증, 실신, 기립성 저혈압, 혈압 변동, 변비
파킨슨 증상	균형감각 불균형, 손발의 움직임이 둔해짐
수면행동 장애	REM수면 중 발차기, 소리치기 등의 증상
환시	가족을 못 알아봄, 누군가 집에 있다는 환상
우울감	우울상태
가성구마비	연하장애

루이소체 치매는 인지기능이나 주의력이 손상되었다 정상이었다 하는 증상이 나타난다. 짧은 시간동안 일어나기도 하지만 몇 달 사이에 일어나기도 하므로 환자의 변화 주기를 기록해두면 좋다.

환시는 대부분의 환자에게 나타나는데 환청, 환촉 등의 증상은 환시에 비해 그리 흔하게 나타나지는 않다. 환시는 주로 의식수준이 떨어졌을 때 잘 나타나는데, 두려워하는 경우도 있지만 즐거워하기도 하고, 무관심하기도 한다. 가벼운 운동성 파킨슨 증상도 주요 증상이다.

(2) 치료

루이소체 치매의 치료는 인지기능장애, 신경정신증상, 파킨슨 증상을 개선하는 세가지 방향으로 이루어진다. 인지기능장애 개선을 위해 아세틸콜린 분해효소 억제제를 사용한다. 신경정신증상을 개선하기 위해 신경이완제를 사용하나 자율신경의 마비로 위험할 수 있으므로 조심스럽게 사용하여야 한다.

알츠하이머 병과 같이 치료가 불가능하며 환각을 위한 치료는 파킨슨병을 유발할 가능성을 높이고 다른 신체 증상들에 대한 치료는 인지기능 감퇴를 악화시킬 우려가 있어 치료에 어려움이 있다. 평소 뇌를 자극하는 취미를 가지고 교육을 꾸준히 하면 증상을 지연시킬 수 있다.

7. 파킨슨병

파킨슨병은 도파민이라는 신경전달물질의 부족으로 생기는 운동신경장애로 중년기와 노년기에 발병하여 서서히 진행되는 퇴행성 질환이다. 파킨슨병 환자의 35~55%는 치매를 동반하며 주로 말기단계에서 치매증상이 나타나지만, 치매증상이 먼저 생긴 후 파킨슨병 증상이 생기기도 한다. '한국 파킨슨병의 현황과 미래' 보고서에 따르면, 우리나라의 파킨슨병 환자는 2016년 기준 9만 6499명으로 10년 전보다 약 2.5배 증가하여 빠르게 늘고 있는 추세이다.

(1) 증상

파킨슨병의 증상은 언어적 손상, 기억력 감퇴, 자발적인 활동의 장애, 시각의 장애, 기억력 장애, 시공간능력 지각 장애, 정보처리 능력 감퇴, 문제해결력 장애 등이 있다. 파킨슨병 치매환자에게 실어증, 실인증, 건망증 등의 증상이 일어나는 경우는 드물다.

파킨슨병의 증상을 크게 세 부류로 나누면 운동기능 장애, 자율신경 실조, 안구운동 장애를 들 수 있다.

① 운동기능 장애

운동기능 장애의 주요 증상 중 하나는 사지가 떨리는 진전 증상이다. 진전 증상은 움직이지 않을 때는 떨리나 움직이면 그 증상이 사라지며, 보통 손 떨림에서 시작되어 시간이 흐르면 신체의 다른 부분으로 증상이 퍼진다. 가만히 있을 때는 손이 떨리지만 손으로 물건을 잡으려고 할 때나 움직이면 떨림이 멈춘다면 파킨슨병을 의심해봐야 한다.

사지나 몸의 근육이 뻣뻣해지는 근육의 강직현상도 나타난다. 근육이 당기는 느낌이 들거나 근육의 통증을 느끼기도 하는데, 두통이나 다리 저림 등의 증상이 나타나기도 한다.

또 몸의 움직임이 느려지는 서동증상이 나타난다. 운동량이 줄어들고 얼굴 표정이 감소하며 목소리가 작아진다. 억양도 단조로워지고 발음장애도 동반된다.

눈 깜빡이는 횟수도 줄어들며, 삼키는 일이 어려워져 침을 흘리기도 하는 등 전반적으로 완만한 운동 현상이 나타난다.

② 자율신경 실조

자율신경 실조의 증상으로는 장의 운동이 약해져서 변비가 생기기도 하고, 배뇨장애, 체위성 저혈압, 남성의 경우 성기능장애 증상을 보이기도 한다.

③ 안구운동 장애

안구운동을 잘 하지 못하며, 눈꺼풀 운동도 감소하고 눈을 자주 깜빡이지 않게 된다.

(2) 진단

파킨슨병을 진단하는 데는 환자의 특징적 증상에 대한 병력 청취와 함께 전문의의 신경학적 검사 소견이 가장 정확하다고 할 수 있다. 자기공명영상(MRI)이나 단일광전자방출단층촬영(SPECT), 전자방출단층촬영(PET) 등을 이용해 진단에 도움을 받을 수 있는데, 이 검사들은 주로 보조적인 수단으로 파킨슨병과 혼동될 수 있는 다른 질환을 감별하기 위해 사용한다.

(3) 치료

파킨슨병의 치료는 기본적으로 약물치료를 원칙으로 하고 도파민제제가 가장 효과적이다. 약물 치료와 함께 병행하면 좋은 치료 방법으로 독성단백질을 줄이는 방법이 있다. 스트레스를 받는 환경에 노출되면 몸에서는 독성단백질이 생성되는데, 이 독성단백질은 신경세포에 손상을 입힌다. 스트레스는 파킨슨병에 큰 영향을 미치는 요인이므로 독성단백질이 생성되지 않도록 호흡운동, 식이요법, 수면 개선 프로그램으로 병행 치료를 받는 것이 좋다.

또 교정치료나 운동치료를 병행하는 것이 좋다. 걷기, 달리기, 헬스, 수영 등으로 체력을 기르는 운동이 필요하며, 일상 능력을 개선하는 운동치료, 작업치료,

물리치료, 언어치료를 병행하기도 한다. 파킨슨병이 악화되어 약물 투여로도 일상생활이 유지되지 않거나 떨림이 심한 경우에는 뇌심부자극술이라는 수술적 치료를 고려할 수 있다.

8. 외상성 치매

외상성 치매란 외부의 손상에 의해 뇌신경이 파괴되어 인지기능의 손상과 인격변화를 겪는 질환으로, 일반적으로 두부 외상 후의 치매는 경미한 지적 장애부터 극심한 상태인 지속적 식물상태에 이르기까지 그 정도가 다양하다.

(1) 원인

외상성 치매는 권투나 격투기 등 격렬한 운동이나 사고 등으로 인한 두부 외상이 주요 원인이다. 머리 충격을 많이 받은 권투 선수에게 주로 발생하며 뇌진탕이 반복적으로 발생하여 뇌신경에 손상을 입으면 발병한다. 뇌출혈, 교통성 뇌수종 등의 경우에도 외상성 치매가 발생할 수 있다. 외상성 치매가 만성적인 퇴행성 뇌질환으로 진행되기도 한다.

(2) 증상

보통 기억장애, 언어장애, 주의력 장애, 정신기능 둔화, 실어증, 요실금, 변실금 등의 이상이 나타난다.

(3) 치료

현재 임상시험 중인 새로운 계열의 알츠하이머 치료제가 외상에 의해 유발되는 뇌손상을 줄일 수 있다는 연구결과가 발표된 바 있으나 널리 사용되지 않고 있다. 외상성 치매 환자의 상태에 따라 기본적 일상생활을 스스로 유지할 수 있도록 작업요법, 인지기능 강화요법 등의 프로그램에 참여함으로써 도움을 받을 수 있다.

9. 알코올성 치매

알코올을 오랫동안 섭취하면 뇌세포가 파괴되어 기억력 등 인지기능 장애가 발생한다. 알코올성 치매는 알코올중독으로 입원한 환자의 3% 정도에서 나타나며, 인지장애가 의심되어 검사 받는 환자의 약 7%정도가 알코올성 치매로 추정된다. 알코올중독이 많은 우리나라에서는 알코올성 치매가 심각한 문제로 부각되고 있다.

(1) 원인

알코올성 치매는 알코올 독성으로 인한 전두엽 기능의 저하, 해마 손상, 비타민 B1 등 영양결핍이 원인이 되어 발생한다. 음주로 인한 티아민, 나이아신 등 비타민 부족은 치매 증상을 나타나게 할 수 있다. 알코올을 과다 섭취하면 뇌의 기억을 담당하는 영역들이 손상을 입으면서 문제가 발생한다.

(2) 증상

술을 자주 마시면 해마의 손상으로 인해 소위 '필름이 끊기는 현상'이 발생된다. 이러한 증상이 지속적으로 장기간 발생하면 술을 마시지 않은 상태에서도 기억력이 감퇴되는 증상이 나타난다. 만성적 기억상실증을 겪는 사람들의 뇌를 촬영해보면 뇌가 위축되어 있음을 알 수 있다.

폭력적으로 성격이 변하는 것은 알코올성 치매의 대표적 증상 중 하나이다. 알코올의 지속적 섭취는 감정과 충동을 조절하는 전두엽을 손상시켜 폭력적인 성향이 나타나도록 한다.

알코올 섭취에 따라 비타민 B1이 부족할 경우 베르니케 뇌병증을 유발하기도 하며, 이 경우 기억장애, 보행장애, 안구운동장애, 말초신경장애 등의 증상이 나타난다. 이러한 증상을 초기에 치료하지 않으면 없는 말을 만들어내는 작화증상이 나타날 수 있다.

또 알코올 손상으로 인한 간 손상은 기억장애, 환각 증상, 간성 뇌병증 등을 유발할 수 있다.

(3) 치료

알코올성 치매는 금주를 하면 증상이 개선된다. 과음, 폭음, 습관성 음주 습관을 버리고, 술을 끊거나 뇌와 신경계에 필수적인 비타민B1을 섭취하면 증상의 호전을 기대할 수 있다.

10. 건망증과 경도인지장애

(1) 뇌세포의 감소에 따라 일어나는 기억력 감퇴 '건망증'

나이가 들어가면서 뇌세포가 탈락되고 뇌기능이 쇠퇴하는 것은 자연스러운 일이지만 노화에 따라 진행되는 기억력 감퇴는 두뇌 활동의 정도나 형태에 따라 개인적인 차이가 있다. 건망증은 남성보다는 여성, 지적 활동이 낮은 사람들에게 많이 나타나는 것이 특징이다. 지속적인 스트레스와 긴장은 뇌세포의 피로를 촉진시켜 건망증을 증가시킨다. 우울, 초조 등의 심리적인 요인도 지각력을 떨어뜨려 건망증을 심화시킨다.

또한 신체적인 피로와 수면 부족도 집중력을 저하시켜 건망증이 생기기 쉽게하고. 어떤 일에 지나치게 집착하거나 일 처리를 완벽하게 하려는 강박적인 성격도 건망증을 일으킨다.

(2) 경도인지장애

① 특징

치매로 일어나는 기억력 상실과 건망증은 분명히 다르다. 인지기능장애는 있으나 치매라고 할 만큼 심하지 않은 경우를 경도인지장애(mild cognitive impairment, MCI)라고 한다. 경도인지장애는 정상적인 노화과정과 치매의 중간단계로, 동일한 연령과 교육수준에 비해 인지기능이 저하되었으나, 일상생활능력과 사회적인 역할수행능력은 유지되는 상태이다.

65세 이상 연령에서 경도인지장애의 유병률은 10~20%정도이다. 경도인지장애가 없는 사람은 매년 1~2%정도가 치매 증상이 생기는데 비해 경도인지장애가 있는 사람은 매년 10~15%정도 치매 증상이 나타난다.

경도인지장애는 기억상실형 경도인지장애와 비기억상실형 경도인지장애로 구분된다. 기억상실형 경도인지장애는 기억력 감퇴가 나타나지만, 비기억상실형 경도인지장애는 언어능력, 주의집중력, 시공간능력, 집행력 등의 인지기능이 떨어지는 것이 특징이다.

② 진단

경도인지장애 진단은 환자 스스로 인지기능에 문제가 있음을 느껴야 한다. 경도인지장애 테스트는 MRI 판독 등 의학적 검사를 하지 않고 수기 형태의 평가지로 평가가 이루어지기 때문에 비교적 간단하게 판별할 수 있다.

경도인지장애를 진단하는 기준은 다음과 같다.

- 환자나 보호자에 의한 기억력 감퇴의 호소
- 동일 연령이나 교육 수준에 비하여 비정상적으로 떨어져 있는 기억력
- 전반적인 인지기능은 정상적으로 유지됨
- 일상생활 능력은 정상적으로 유지됨
- 치매의 진단기준에 부합하지 않을 것

③ 치료

경도인지장애는 약물치료로는 특별히 효과 있는 치료제나 방법은 없다고 보고되고 있다. 인지훈련, 작업훈련과 같은 비약물 치료를 실시한 결과 기억력과 집중력이 향상된 사례들이 많아 경도인지장애 치료에 비약물요법이 중요한 방법으로 관심을 받고 있다.

(3) 기억력 설문지 (MMQ-A)

MMQ-A는 기억력에 대한 자기평가를 위한 설문지(Troyer & Rich,2002) 중 일상생활에서 겪는 기억문제의 빈도를 측정하는 문제이다.

순번	문항	그렇지 않다	가끔 그렇다	자주 그렇다
1	공과금을 제때 납부하는 것이나 카드 대금을 기한 내에 내야하는 것을 잊습니까?			
2	일상생활에서 사용하는 물건들 (예를 들어 열쇠나 안경)을 두었던 곳을 잊습니까?			
3	방금 전에 보았던 전화번호를 기억하는 것이 어렵습니까?			
4	방금 전에 만난 사람의 이름을 기억하는 것이 어렵습니까?			
5	가져오려고 생각했던 물건을 그냥 두고 올 때가 있습니까?			
6	약속을 잊어버립니까?			
7	방금 전에 하려고 했던 일을 잊어버립니까? (예를 들어 내가 뭐하려고 이 방에 들어왔지?)			
8	심부름해야 하는 것이나 부탁받아 해야 하는 것을 잊습니까?			

순번	문항	그렇지 않다	가끔 그렇다	자주 그렇다
9	말하고자 하는 단어가 재빨리 떠오르지 않습니까?			
10	그날 읽은 신문의 자세한 내용을 기억하기 어렵습니까?			
11	약을 복용할 일을 잊습니까?			
12	오랫동안 알아온 사람의 이름이 떠오르지 않습니까?			
13	누군가에게 어떤 사항을 전달해야 하는 것을 잊습니까?			
14	대화 중 어떤 이야기를 하려고 했는지 잊습니까?			
15	예전에 알고 있었던 기념일이나 생일을 잊습니까?			
16	자주 사용하던 전화번호를 잊습니까?			
17	전에 이야기한 것을 잊어버리고 같은 사람에게 같은 이야기나 농담을 또 이야기 합니까?			
18	며칠 전에 치운 물건을 어디에 두었는지 기억이 나지 않습니까?			
19	구입하려고 생각했던 물건을 사는 것을 잊습니까?			
20	최근 나눈 대화의 자세한 내용이 기억나지 않습니까?			
합계 개수				

일상생활에서 겪는 기억 문제의 빈도 체크리스트 (ability : MMQ-A)

■ 진단

    0 - 자주 그렇다

    1 - 가끔 그렇다

    2 - 그렇지 않다

답	개수	계산	점수
자주 그렇다		× 0	
가끔 그렇다		× 1	
그렇지 않다		× 2	
총점			

결과 해석 : 총점은 40점이며, 점수가 높을수록 일상생활에서 기억력으로 인한 실수나 문제가 적고 주관적으로 평가한 자신의 기억력이 양호함을 의미한다.

제2장
치매의 증상

제2장
치매의 증상

치매 초기 단계의 증상은 일반적인 노화현상과 구분이 잘 되지 않는 경우가 많다. 또 원인에 따라 각기 다른 현상이 나타나고 여러 가지 원인이 복합적으로 작용하여 증상이 나타나기도 한다. 치매의 주요 증상들은 크게 인지 장애, 정신 장애, 언어 장애, 행동 장애, 일상생활 장애, 신체운동 장애로 나눌 수 있다. 각 장애별로 다음과 같은 문제 행동이 나타난다.

1. 인지 장애

	문제 행동
기억 장애	· 방금 한 말을 기억하지 못함 · 새로 접한 것을 기억하지 못함 · 물건을 놓아둔 곳을 잊어버림 · 자신의 나이, 집 주소, 전화 번호 등을 모름 · 과거 일을 현재 일처럼 이야기 함 · 고인이 살아 있는 것처럼 이야기 함 · 다른 사람의 말을 잘 전달하지 못함

계산력 장애	· 간단한 계산을 하지 못함 · 돈 관리를 하지 못함 · 물건을 구매하는데 어려움을 겪음
지남력 장애	· 오늘 날짜를 알지 못함 · 현재 계절을 모르거나, 계절에 안맞는 옷을 입음 · 지금 시간을 알지 못함 · 가족이나 친지, 주변 사람을 알아보지 못하거나 착각함 · 길이나 방향을 잃어버림 · 자신이 현재 있는 곳을 알지 못함
판단력 장애	· 더러운 옷을 벗지 않음 · 자신이 무엇을 잘못했는지 알지 못함 · 자신의 것과 남의 것을 구별하지 못함 · 주변 사람들과 친하게 지내지 못함 · 텔레비전에 나오는 내용을 현실로 착각함 · 일을 빠르게 처리하지 못함 · 거울을 보고 착각하고 이야기를 함 · 내 집을 남의 집으로 남의 집을 내 집으로 착각함 · 제사나 혼례 등 의식을 잊어버림

2. 행동장애

	문제 행동
반복 행동	· 수시로 화장실을 드나듬 · 늘 무엇인가 만지는 행위를 함 · 종일 스위치를 껐다 켰다 함
배회	· 하루 종일 돌아다님 · 혼자 밖에 나가서 배회함 · 예전 집을 찾아 나섰다가 길을 잃음
수면 장애	· 낮과 밤이 바뀜 · 불면증으로 좀처럼 잠들지 못하거나 잠을 자지 않음 · 밤에 일어나 무엇을 하려고 함 · 밤에 가족들을 깨우고 소란스럽게 함
폭력	· 가족이나 타인에게 폭력을 휘두름 · 칼, 가위 등 물건을 휘두름 · 문을 세게 닫고 물건을 집어 던짐 · 참을성 없이 아무 때나 흥분하고 폭력을 행사함 · 보호자를 꼬집거나 깨뭄
거부	· 목욕, 약 복용, 병원 진찰을 거부함 · 보호자의 보호를 거부하고 화를 냄 · 보호자를 의심함
수집	· 음식을 구석에 숨김 · 물건이나 음식을 자기 방에 숨겨둠 · 돈을 숨김 · 쓰레기나 물건을 주워옴

3. 언어 장애

	문제 행동
욕설	· 가족이나 주변인들에게 욕을 함 · 고함을 지름 · 다른 사람을 험담함
혼잣말	· 무의미한 말을 혼자 중얼거림
반복	· 계속 같은 말을 물어봄 · 밥을 달라는 등 같은 말을 반복함
작화증	· 없는 말을 지어내서 함 · 밥을 먹어도 다른 사람에게 가족이 밥을 안준다고 얘기함 · 자신이 학대당한다고 얘기함
실어증	· 엉뚱한 대답을 함 · 말이 두서가 없고 의사를 제대로 표현하지 못함 · 말을 잊어버림

4. 정신 장애

	문제 행동
우울	· 의욕이 없이 멍하니 있음 · 잠만 자려하거나 늘 아프다고 함 · 낯선 사람을 만나기를 거부함 · 자신이 쓸모없는 사람이라고 생각함 · 죽겠다고 함

불안	· 나와서 집에 간다고 수시로 말함 · 신경이 예민하여 속이 불편하거나 가슴이 두근거린다고 함 · 보따리를 싸서 들고 다님 · 어쩔 줄 몰라 하며 서성거림 · 집밖으로 나가는 걸 두려워하고 아무도 못나가게 함 · 식사 시에도 불안정함
조증	· 재미없는 일도 재미있다고 웃음 · 지나치게 기분이 좋아보임 · 물건을 빼앗는 등 유치한 장난을 침
무감동	· 감정 표현이 부족하고 다정함이 줄어듬 · 먼저 말을 꺼내지 않음 · 가족이나 친구에 관심이 없음
망상	· 음식에 독이 있다고 먹지 않음 · 물건을 누가 훔쳐갔다고 소란을 피움 · 주위 사람들을 의심함 · 배우자나 며느리가 바람을 피운다고 생각함 · 자신이 가족에게 피해를 입거나 가족에게 버림받을 거라고 생각함 · 약에 독이 들었다고 안 먹으려 함
환각 환청	· 누가 왔다 갔다고 함 · 헛것을 봄 · 보이지 않는 사람이나 물건이 보인다고 함 · 아무 소리도 안들리는데 무슨 소리가 들린다고 함 · 피부에 무엇이 있다고 함
섬망	· 공포에 쌓여 밤에 다른 사람을 깨움 · 밤에 갑자기 소리를 지르고 소란을 피움 · 흥분하여 밖으로 뛰어나가려 함

	문제 행동
성적 행동	· 목욕하는 것을 훔쳐 봄 · 옷을 벗은 채 다님 · 다른 이성의 몸을 만지거나 성행위를 하려고 함 · 성기를 노출시킴

5. 일상생활 장애

	문제 행동
옷 입기	· 옷의 안과 겉을 잘 구별하지 못함 · 스스로 입지 못하고 도와주어야 함 · 단추 등을 잘 못 채움 · 잠옷으로 갈아입지 않거나 잠옷을 잘 벗지 않으려 함
청결	· 혼자 목욕을 하지 못하고 도와주어야 함 · 더러워도 씻지 않음 · 머리를 혼자 감지 못함 · 세수를 안 함 · 외모에 관심이 없고 단정하지 않음
식사	· 음식을 먹지 않으려고 함 · 식사를 하고도 금방 식사를 달라고 함 · 먹으며 안 되는 것을 먹음 · 늘 먹을 것을 찾음 · 음식을 손으로 집어 먹음 · 음식을 삼키기 어려워 함 · 변을 먹음

요리	· 설거지를 잘 하지 못함
	· 조리 도구 사용법을 잘 모름
	· 밥을 못함
	· 가스레인지 불을 안 끔
화장실	· 용변 후 티슈를 사용하지 않음
	· 용변 후 물을 안 내림
	· 화장실 외의 장소에서 용변을 봄
	· 팬티를 안 벗은 채 용변을 봄
	· 화장실에서 사용한 티슈를 아무데나 버림
이동	· 버스나 지하철을 혼자 타지 못함
	· 교통 신호를 잘 지키지 못함
청소, 세탁	· 방 청소나 정리정돈을 잘 하지 못함
	· 세탁기 사용방법을 잊어버림
	· 빨래를 잘 널거나 개지 못함
	· 다리미 사용이 어려움
	· 젖은 빨래와 마른 빨래를 구분하지 못함
일상	· 문을 잘 잠그거나 문단속을 못함
	· 글씨를 잘 못씀
	· 전화를 잘 못 받음
	· 필요한 물건을 구매하지 못함

6. 치매 종류별 초기 증상

■ 최근의 일이 잘 기억나지 않는다. → 알츠하이머병

옛날 일은 잘 기억하는데 비해 최근 대화나 일의 일부를 기억하지 못하는 건망증이 점차 증가하면 알츠하이머 초기 증상을 의심해 볼 필요가 있다.

■ **충동적인 행동이 늘고 성격의 변화가 나타난다 → 전두엽치매(행동형)**

길거리에서 소변을 보는 등 충동조절 능력이 저하되고, 감정 기복이 심화되는 등 성격 변화가 생겼다면 전두엽치매 초기 증상을 의심할 수 있다.

■ **친숙한 사물의 이름이 기억나지 않는다 → 전두엽치매(언어형)**

자주 사용하던 대상의 이름을 두루뭉술하게 표현하는 등 언어표현 수준이 어린 아이 수준으로 서툴러지면 전두엽치매 언어형 초기 증상을 의심할 수 있다.

■ **다른 사람의 말을 잘못 알아듣는다 → 측두엽치매(의미치매)**

다른 사람이 하는 말의 뜻을 잘 이해하지 못해 대화가 어려워지고 기억력 저하로 착각하는 일이 늘어나면 측두엽치매 초기증상을 의심할 수 있다.

■ **손이나 팔 떨림 등의 증상이 나타나거나 움직임이 느려진다 → 파킨슨병 치매**

종종걸음, 사지 떨림, 몸이 뻣뻣한 증상, 느린 움직임을 보인다면 파킨슨병 치매의 초기증상을 의심해야 한다.

■ **헛것을 보는 등 이상행동을 한다 → 루이소체 치매**

환각이나 환시, 수면 중 이상행동, 망상, 우울 등 정신행동 증상을 보인다면 루이소체 치매의 초기증상을 의심할 수 있다.

■ **팔다리 마비, 쓰러짐 등 뇌졸중 증상을 보인다 → 혈관성 치매**

팔다리 마비, 어눌한 발음, 두통, 쓰러짐 등 뇌졸중 증상을 보이면 뇌혈관 출혈이나 뇌혈관 경색으로 인한 혈관성 치매 초기증상을 의심할 수 있다.

■ **건망증과 누워있는 시간이 는다 → 피질하 혈관성 치매**

느린 행동, 우울증 증세가 반복되고, 단서를 주지 않으면 기억하지 못하는 건망증이 늘면 피질하 혈관성 치매의 초기증상을 의심해야 한다.

제3장
치매의 진단

제3장
치매의 진단

치매를 의심하고 조기 진단을 하려면 치매의 초기 증상을 잘 아는 것이 중요하다. 만약 본인이나 부모님의 기억력이 현저하게 저하된 경우 '나이 탓'을 하지 말고 치매 클리닉을 방문하거나 보건소(치매 지원센터)에서 무료로 운영하는 '치매조기검진'을 받아 점검하도록 하자.

1. 치매 자가진단

치매 자가진단을 위한 질문테스트 중 아래 자가질문지는 미국 '배너선 건강 연구소(Banner Sun Health Research Institute)'가 개발한 치매 자가진단 테스트이다. 이 테스트는 대체로 치매 자가진단을 위해 일상생활에서 피검사자의 기억 능력 등을 확인하는 질문들로 구성되어 있다. 연구진은 진단법의 정확도가 약 90%로 전문의가 치매를 초기에 발견하는데 도움이 된다고 한다.

<치매 자가진단 질문지>

1. 건망증이 있다. (예 1점, 아니오 0점)
2. 건망증이 몇 년 전보다 더 나빠졌다. (예 1점, 아니오 0점)
3. 질문이나 어떤 말 또는 이야기를 같은 날 반복한다. (예 2점, 아니오 0점)

4. 약속을 잘 잊어버린다. (예 1점, 아니오 0점)

5. 한 달에 한 번 이상 물건을 엉뚱한 곳에 두는 일이 있다. (예 1점, 아니오 0점)

6. 물건을 찾지 못해 다른 사람이 감추었거나 훔쳤다고 의심하는 경우가 있다. (예 1점, 아니오 0점)

7. 요일·날짜 등 시간을 자주 잊거나 날짜를 여러번 확인하는 경우가 있다. (예 2점, 아니오 0점)

8. 낯선 장소에서 방향을 잃는다. (예 1점, 아니오 0점)

9. 여행 중에 당황한 때가 있다. (예 1점, 아니오 0점)

10. 잔돈 계산 등 돈을 다룰 때 어려움을 겪는 경우가 있다. (예 1점, 아니오 0점)

11. 돈을 결제할 때 실수하는 경우가 있다. (예 2점, 아니오 0점)

12. 약을 먹어야 할 때를 기억 못하거나 약을 먹었는지 기억 못할 때가 있다. (예 1점, 아니오 0점)

13. 운전을 못하거나 옆에서 보기에 운전이 걱정스러운 경우가 있다. (예 1점, 아니오 0점)

14. 전화기, 전자레인지 같은 가정용품 사용에 문제가 있다. (예 1점, 아니오 0점)

15. 수리 등 집안일을 제대로 못하는 경우가 있다. (예 1점, 아니오 0점)

16. 운동 같은 취미활동을 줄이거나 그만둔 적이 있다. (예 1점, 아니오 0점)

17. 낯익은 환경에서 길을 잃은 적이 있다. (예 2점, 아니오 0점)

18. 방향감각이 떨어지고 있다. (예 1점, 아니오 0점)

19. 단어를 잘 찾지 못한다. (예 1점, 아니오 0점)

20. 가족이나 친구의 이름을 혼동하는 경우가 있다. (예 2점, 아니오 0점)

21. 낯익은 사람을 잘 알아보지 못한다. (예 2점, 아니오 0점)

※ 검사 결과 해석
- → 총점이 15점 이상이면 치매
- → 5점에서 14점 사이면 치매 전 단계
- → 4점 이하면 기억력에 별 문제가 없는 것

---

2. 치매 조기검진 제도

치매조기검진제도는 다음과 같이 세 단계로 검사가 진행된다.

	검사명	대상	검사장소	검사종류
1단계	치매선별검사	60세 이상	보건소 자치구 치매지원센터	
2단계	치매진단검사	치매선별검사에서 이상소견이 발견된 자	보건소 지정 협약병원	전문의 진찰 정밀신경 인지검사
3단계	치매감별검사	2단계에서 치매로 진단된 자	협약병원	치매질환 감별검사 (혈액검사 소변검사 뇌영상검사)

3. 한국형 간이정신상태검사 (K-MMSE)

항 목		반 응	점 수
시간 지남력 (/5)	년 (1)		
	월 (1)		
	일 (1)		
	요일 (1)		
	계절 (1)		
장소 지남력 (/5)	나라 (1)		
	시,도 (1)		
	무엇하는 곳 (1)		
	현재 장소명 (1)		
	몇 층 (1)		

기억등록 (/3)	비행기 (1)		
	연필 (1)		
	소나무 (1)		
주의집중 및 계산 (/5)	100-7 (1)		
	-7 (1)		
	-7 (1)		
	-7 (1)		
	-7 (1)		
기억회상 (/3)	비행기 (1)		
	연필 (1)		
	소나무 (1)		
언어 및 시공간구성 (/9)	이름대기 (2)		
	명령시행 (3)		
	따라말하기 (1)		
	오각형 (1)		
	읽기 (1)		
	쓰기 (1)		
총 점			/30

평가 (30점 만점)

24점 이상 : 확정적 정상

20점~23점 : 치매의심

19점 이하 : 확정적 치매

무학, 문맹의 경우 : 시행점수+4점(시간지남력(1), 주의집중력(2), 언어기능(1)

년 월 일

작성자 (인)

검사방법

<지남력>

1. 오늘은 ○년 ○월 ○요일 무슨 계절입니까? 각 1점, 합 5점

2. 여기는 어느 나라 어느 시도에 무엇을 하는 곳이며 이곳 이름은 무엇이며 여기는 몇 층 입니까? 각 1점, 합 5점

<기억등록>

3. 물건 이름 세 가지 듣고 따라 하세요. (예: 비행기, 연필, 소나무)

<주의집중 및 계산능력>

4. 100 - 7 = ( ) - 7 = ( ) - 7 = ( ) - 7 = ( ) - 7 = ( ) 각 1점, 합 5점

<기억회상>

5. 3번에서 말한 물건 3가지 기억해서 말해보세요.

<언어기능>

6. 이름대기(볼펜, 시계) 이것이 무엇입니까? 각 1점, 합 2점

7. 명령시행 - 종이를 뒤집고, 반으로 접은 다음 저에게 주세요. 각 1점, 합 3점

8. 따라 말하기 "백문이 불여일견" 따라하세요.

9. 똑같이 그려보세요. (오각형)

10. 읽기 = 눈을 감으세요.

11. 오늘의 날씨에 대해 써보세요. (주어와 동사를 포함해야 함, 예 : 날씨가 맑습니다.)

4. 간이 정신상태 검사

(Mini-Mental State Examination, MMSE)

	질문	맞음	틀림
1 (5점)	올해는 몇 년입니까? 지금은 무슨 계절입니까? 오늘은 무슨 요일입니까? 오늘은 몇 월입니까? 오늘은 몇 일입니까?		
2 (5점)	여기는 무슨 도/시/광역시입니까? 여기는 무슨 시/군/구입니까? 여기는 무슨 읍/면/동입니까? 여기는 몇 층입니까? 이 곳의 이름은 무엇입니까?		
3 (3점)	물건 3개 (서로 무관계) 검사자는 물건 이름을 1초마다 1개씩 말한 뒤, 피검사자에게 말해 보게 한다. 정답 1개에 1점을 주고, 3개 모두 말할 때까지 되풀이한다. (6회까지 반복한 횟수) "지금부터 세가 지 물건을 말씀 드리겠습니다. 잘 듣고 세 가지 물건의 이름을 모두 말씀해 보세요. 몇 분 후 다시 물어 볼 것이니 물건 이름들을 잘 기억해두세요"		
4 (5점)	"지금부터 제가 OOO님께 다섯 글자로 된 단어 하나를 말씀드릴 것입니다 따라해 보세요. '삼 천 리 강 산' [필요시 이 단어를 여러 차례 반복하여 말해줄 수 있다] "잘하셨습니다. 이번에는 이 단어를 맨 뒤부터 거꾸로 말씀해 보세요." [피검자의 답을 기록한다]		

	질문	맞음	틀림
5 (3점)	앞서 제시한 물건 이름 3개를 다시 말하게 한다. "조금 전에 잘 기억하라고 했던 세 물건의 이름을 다시 말씀해 주세요."		
6 (2점)	(시계를 가리키며) 이것은 무엇입니까? (도장을 가리키며) 이것은 무엇입니까?		
7 (1점)	다음 문장을 되풀이해보도록 한다. "제가 하는 말을 듣고 그대로 따라해 보세요. 한번만 말씀해 드리니 잘 들어주세요." [모두가 힘을 합쳐서 밧줄을 당깁니다]		
8 (3점)	(3단계 명령) "지금부터 제가 드리는 말씀대로 그대로 해보세요. 한번만 말씀해 드리니 잘 듣고 따라해 주세요." [오른 손에 이 종이를 쥐세요.] [그것을 반으로 접어주세요.] [무릎 위에 놓으세요.]		
9 (1점)	"남의 지갑을 주웠을 때 어떻게 하면 쉽게 주인에게 돌려줄 수 있을까요?"		
10 (1점)	"옷은 왜 빨아서 입습니까?"		
11 (1점)	(도형그리기) "여기에 보이는 그림을 아래 빈 곳에 그대로 그려보세요."		
		합계	/ 30점

평가 : 총점 23점 이상-정상, 18~23점-경도인지장애, 0~17점-인지기능 장애

(출처) Folstein MF, et.al. : J Psychiat Res, 12 : 189, 1975

5. 삼성치매척도

	증상	답
1	전화번호나 사람의 이름을 기억하기 어렵다.	
2	어떤 일이 언제 일어났는지 기억하지 못할 때가 있다.	
3	며칠 전에 들었던 이야기를 잊는다.	
4	오래 전부터 들었던 이야기를 잊는다.	
5	반복되는 일상생활에 변화가 생겼을 때 금방 적응하기 힘들다.	
6	본인에게 중요한 사항을 잊을 때가 있다.(배우자생일, 결혼기념일 등)	
7	다른 사람에게 같은 이야기를 반복할 때가 있다.	
8	어떤 일을 해 놓고 잊어버려 다시 반복할 때가 있다.	
9	약속을 해 놓고도 잊어버려 다시 반복할 때가 있다.	
10	이야기 도중 방금 자기가 무슨 이야기를 하고 있었는지 잊을 때가 있다.	
11	약 먹는 시간을 놓치기도 한다.	
12	여러 가지 물건을 사러 갔다가 한두 가지를 빠뜨리기도 한다.	
13	가스 불을 끄는 것을 잊어버린 적이 있거나 음식을 태운 적이 있다.	
14	남에게 같은 질문을 반복한다.	
15	어떤 일을 해 놓고도 했는지 안했는지 몰라 다시 확인해야 한다.	
16	물건을 두고 다니거나 가지고 갈 물건을 놓고 간다.	
17	하고 싶은 말이나 표현이 금방 떠오르지 않는다.	
18	물건 이름이 금방 생각나지 않는다.	
19	개인적인 편지나 사무적인 편지를 쓰기 힘들다.	
20	갈수록 말수가 줄어든다.	
21	신문이나 잡지를 읽을 때 이야기 줄거리를 파악하지 못한다.	
22	책을 읽을 때 같은 문장을 여러 번 읽어야 이해가 된다.	

		증상	답
23	텔레비전에 나오는 이야기를 따라가기 힘들다.		
24	자주 보는 친구나 친척을 바로 알아보지 못한다.		
25	물건을 어디에 두고 나중에 어디에 두었는지 몰라 찾게 된다.		
26	전에 가 본 장소를 기억하지 못한다.		
27	방향 감각이 떨어졌다.		
28	길을 잃거나 헤맨 적이 있다.		
29	물건을 항상 두는 장소를 망각하고 엉뚱한 곳에서 찾는다.		
30	계산 능력이 떨어졌다.		
31	돈 관리를 하는데 실수가 있다.		
32	과거에 쓰던 기구 사용이 서툴러졌다.		
	합계		

치매로 의심되는 사람의 상태를 잘 알고 있는 보호자가 최근 6개월간 상황을 생각해보게 체크해 보세요.

결과 해석 : 총 17개 이상 체크된 사람은 일단 치매로 의심 됨

6. 치매 초기증상 질문표

치매를 발견하기 위한 체크리스트이다. 본인용과 보호자용을 각자 체크해서 비교해보도록 한다. 문항에 대한 대답을 보고 질병에 대한 인식을 알 수 있다. 또 치매가 진행될수록 질병에 대한 인식이 낮아지는데, 이는 실수를 자각하지 못하게 되기 때문이라 할 수 있다

질 문 표 (본인용)

기입일 :　　　년　　월　　일

성명 :

기입방법 : 본인 기입 / 청취 대필

최근 자신의 한 달간의 상태를 생각해보고 해당되는데 "○" 하십시오.
단, 통증 등 신체적인 원인이 있을 경우는 제외합니다.

문 항	답
같은 이야기를 몇 번씩 하거나 물어봄	
복장 등 주변 간수가 힘들어짐	
동시에 2가지 일을 하면 한가지를 잊어버림	
약을 제때 복용하지 못하게 됨	
이전에 쉽게 해내던 집안일이나 작업을 어려워하게 됨	
복잡한 이야기를 이해하지 못함	
의욕이 사라지고, 흥미나 관심사, 취미 등이 줄어듬	
이번보다 자주 화를 내고 의심이 많아짐	
사건의 전후 관계를 잘 이해하지 못함	
계획을 잘 세우지 못하게 됨	
문잠그기, 수도 잠그기 등 뒤처리를 잘 잊어버림	
합계 항목 수	

질 문 표 (보호자용)

기입일 :　　　년　　월　　일

환자분 성명 :

기입자 성명 :

기입방법 : 가족 기입 / 가족 등에게서 청취 대필

최근 환자의 한 달간의 상태를 생각해보고 평소 생활에 미루어 판단했을 때 해당되는 곳에 "○" 하십시오.

단, 통증 등 신체적인 원인이 있을 경우는 제외합니다.

문 항	답
같은 이야기를 몇 번씩 하거나 물어봄	
복장 등 주변 간수가 힘들어짐	
동시에 2가지 일을 하면 한가지를 잊어버림	
약을 제때 복용하지 못하게 됨	
이전에 쉽게 해내던 집안일이나 작업을 어려워하게 됨	
복잡한 이야기를 이해하지 못함	
의욕이 사라지고, 흥미나 관심사, 취미 등이 줄어듬	
이번보다 자주 화를 내고 의심이 많아짐	
사건의 전후 관계를 잘 이해하지 못함	
계획을 잘 세우지 못하게 됨	
문 잠그기, 수도 잠그기 등 뒤처리를 잘 잊어버림	
합계 항목 수	

평가 : 3항목 이상 체크되면 치매가 의심된다고 본다.

추가 문항	답
피해망상 증상이 있습니까? (돈을 누가 훔쳐갔다는 등)	
환각이 있습니까? (없는 걸 본다는 등)	

제4장

치매 예방 습관

제4장
치매 예방 습관

1. 치매 예방 생활습관

치매는 뇌 세포가 퇴화하면서 발생하는 질병이다. 뇌 세포는 한번 죽으면 다시 재생 할 수 없기 때문에 뇌 세포가 죽기 전 이를 막는 생활습관을 가지는 것이 치매 예방의 첫걸음이 된다. 치매 예방을 위해서는 평상시 생활습관 개선부터 뇌 활동 활성화를 위한 행동을 꾸준히 실천하는 것이 중요하다.

(1) 하루 되돌아보기

매일 자기 전 일기를 쓰거나 일과를 되돌아보는 습관은 기억을 회상하면서 뇌를 자극할 수 있다. 자신이 한 일을 반성하고 내일을 설계하는 것은 전두엽을 자극시키기 좋은 방법이다. 약속, 예약시간, 생일들, 심부름, 경제적 재정상태 등을 기억하기 위해 달력이나 일기장에 항목별로 정리정돈해서 기록해 두는 것이 좋다.

(2) 코 막은 채로 음료 마시기

음료를 마실 때 코를 막으면 뇌를 자극할 수 있다. 음료를 마실 때는 시각, 후각, 미각이 동시에 작용하면서 맛을 느끼게 되지만 코를 막고 먹으면 냄새가 느껴지지 않아 뇌가 혼란스럽게 된다. 이 때 뇌는 맛을 판별하려고 노력하게 된다.

(3) 낯선 길 걷기

평소 잘 알고 있는 길이 아니라 안 가본 길, 모르는 길을 지도 없이 걷는 것도 좋다. 뇌에 새로운 길에 대한 정보를 입력시키게 되면서 뇌가 활성화되기 때문이다.

(4) 쓰지 않는 손 사용하기

평소 잘 쓰지 않는 손을 사용하면 활동이 활발하지 않던 뇌 부위가 자극된다. 평소 쓰지 않는 손으로 단추를 채우거나 문을 열거나 물건을 집는 등의 활동을 하면 뇌를 자극하기에 좋다.

(5) 손, 손가락 사용하기

손은 잠든 뇌를 깨우는 열쇠다. 손가락 끝으로 느끼는 다양한 촉감과 손놀림은 감각·운동·기억·연상·공간지각 등을 담당하는 뇌 영역을 동시에 자극한다. 이때 목적이 없는 단순한 손동작보다는 목적을 가지고 섬세하고 정교한 손동작을 하는 것이 더 좋다. 똑똑한 뇌를 만드는 데 손의 미세한 근육, 신경을 훈련하는 것은 매우 중요하다. 옷 개기, 화초 가꾸기, 기구 조작하기, 뜨개질, 수놓기, 그림 그리기, 종이접기, 컴퓨터 활용 등과 같은 활동이 도움이 된다.

(6) 여러 사람 만나 대화하기

혼자서 지내는 사람은 그렇지 않은 사람보다 치매에 걸릴 확률이 1.5배 이상 높다. 따라서 여러 사람을 만나 함께 즐거운 대화를 나누면 치매예방에 도움이 된다. 대화를 하면 얼굴 근육을 많이 사용하게 되며, 대화를 하기 위해 끊임없이 생각하고 기억을 떠올리고 저장해야 하므로 뇌가 자극되기 때문이다. 따라서 혼자 있는 것보다 단체 생활을 활발하게 하는 것이 치매 예방에 직접적인 도움을 준다. 지인과 매일 만나는 사람은 치매에 걸릴 위험이 그렇지 않은 사람에 비해 40% 이상 낮아진다고 한다.

(7) 저작운동

노년기에는 음식만 잘 씹어 먹어도 치매 예방에 도움이 될 수 있다. 음식을 씹는 행위는 단순해 보이지만 턱관절과 수십 개의 근육과 관절이 움직이면서 수많은 감각기관의 정보를 뇌로 전달해 주는 일이다. 따라서 턱을 지속적으로 움직이면 뇌에 자극이 가해지고, 뇌혈관을 건강하게 유지하면서 뇌의 노화속도가 느려지기 때문에 치매를 예방하는데 도움이 된다.

반대로 저작을 잘 못하면 영양분 섭취도 부족해질 뿐만 아니라 저작 횟수도 줄어들어 뇌를 기본적으로 자극하는 횟수가 줄어들기 때문에 치매 예방을 위해서는 평소 저작운동에 신경을 써야 한다.

(8) 긍정적인 마인드

긍정적인 마인드는 치매 예방에 큰 도움이 된다. 긍정적인 생각을 하면 도파민, 엔돌핀 등의 호르몬이 분비되면서 뇌 활동이 활성화되므로 평소 스트레스를 최소화하고 긍정의 마음가짐과 태도를 갖는 것이 중요하다. 스트레스 상황 시 좋아하는 음악을 듣거나 가벼운 산책 등으로 기분을 전환시키는 습관도 좋다.

우울, 짜증, 분노 같은 부정적인 감정을 반복하면 뇌에 부정 신경망이 두꺼워진다. 자존감이 떨어지면 뇌가 위축돼 기억력과 학습 능력이 떨어진다. 자신을 비하하거나 후회, 절망, 도피 등 부정적인 감정 습관을 가진 사람은 그렇지 않은 사람에 비해 우울증에 걸릴 확률이 2배가량 높다.

(9) 과도한 음주 피하기

음주는 치매를 발생시키는 주요 위험 요인에 속한다. 술을 자주 마시는 사람은 그렇지 않은 사람에 비해 치매 발병 위험이 7배가량 높다는 연구결과도 있다. 과음은 인지장애 발병 확률을 1.7배 높게 하며, 중년기부터 과도한 음주를 한 사람은 인지장애에 걸릴 확률이 2.5배 이상 높아진다. 이처럼 과도한 음주는 뇌 세포를 죽이며 혈관성 치매, 알코올성 치매를 가속화시킬 수 있으므로 피하도록 한다.

(10) 새로운 공부

새로운 것을 배우고 다양한 경험에 도전할수록 뇌 건강에 좋다. 새로운 공부는 뇌에 새로운 회로를 만들어 활성화시키기 때문에 치매를 예방하는데 도움이 된다.

(11) 독서

다양한 영역의 독서는 뇌에 새로운 회로를 만들고 발달을 도와준다. 신문, 잡지, 책 읽기를 꾸준히 하는 경우 치매 발병 확률이 줄어든다. 신문, 책 등을 읽고 그 내용을 이해하며 외우는 습관으로 뇌세포를 자극하는 것이 좋다.

(12) 충분한 수면

잠은 신체를 새로 재구성하며 인지기능 회복을 위해 반드시 필요한 과정이다. 치매의 원인 물질인 베타아밀로이드는 수면 중에 정상적으로 제거되어야 하지만 잠을 못 자면 배출되지 않고 뇌세포에 쌓인다. 따라서 뇌의 기능을 개선하기 위해서는 하루 8시간가량 잠을 자는 것이 좋다. 잠자기 전에는 스마트 폰이나 TV같은 전자파는 멀리하는 것이 좋으며, 잠자기 직전 운동은 아드레날린 분비를 촉진시켜 수면을 방해하므로 피하도록 한다.

뇌는 밤에 멜라토닌을 생성하는데 빛에 노출되면 멜라토닌이 생성되지 않으므로 수면 환경은 어두워야 한다. 또 잠이 오지 않는다고 사용하는 수면제는 오히려 치매의 위험요소가 되므로 수면제는 꼭 필요한 경우를 제외하고는 복용을 피하도록 한다.

(13) 운동

운동은 뇌의 혈액순환을 촉진하고 신경세포 간의 연결을 도와주며, 뇌신경을 보호하는 등 뇌기능을 개선시킨다.

기억을 담당하는 '해마'라는 대뇌기관은 정상적으로는 1년마다 부피가 1~2%씩 줄어들지만 걷기 운동을 하면 해마의 위축이 감소한다. 운동을 하면 해마의 크기를 늘릴 수 있으므로 적절한 운동은 치매 발생률을 낮출 수 있다. 운동은 또 심혈관

기능을 개선하는데 심혈관 기능은 뉴런과 시냅스 건강에 매우 중요한 요소이다. 또한 운동은 알츠하이머에 중요한 역할을 하는 인슐린 저항을 낮추며, 뉴런 생성에 도움이 되는 케토시스 생성을 늘려준다.

운동은 최소 일주일에 세 번 이상, 하루 30~1시간 정도가 적당하며, 걷기, 조깅, 스피닝, 댄스, 수영과 같은 유산소 운동과 근력 운동을 병행하는 것이 좋다. 1주일에 3회 걷는 것만으로 인지장애 확률을 33%, 치매 위험을 31% 낮출 수 있다. 매일 3km 이상 걷는 사람이 치매에 걸릴 확률이 70% 이상 낮다고 한다. 반대로 운동을 하지 않으면 인지 기능이 떨어질 수 있다.

운동시에는 건강 상태나 선호도 등을 고려해 맞춤형으로 실시하는 것이 좋고 전후 준비운동과 마무리 운동을 반드시 하도록 한다.

(14) 금연

담배를 피우면 일산화탄소가 들어오게 되기 때문에 우리 몸은 적혈구를 많이 생산하여 산소를 실어 나르게 한다. 적혈구가 많아지면 피 속의 건더기가 많아져 피가 끈적끈적해지고 혈관이 막히게 된다.

흡연자는 비 흡연자에 비해 흡연 2년 후에 알츠하이머병에 걸릴 확률이 세 배 이상 높고, 혈관치매에 걸릴 위험도 두 배 이상 높다. 담배를 줄여 피운다고 해서 알츠하이머 발병 위험도가 없어지는 것은 아니므로 금연하도록 한다.

(15) 적절한 공복시간 유지

공복시간 유지는 인지기능에 있어 매우 중요하다. 공복시간을 12시간 이상 유지할 경우 뇌세포 세포가 다양한 요소를 재활용하고, 망가진 단백질과 미트콘드리아를 파괴하는 자기소모에 도움이 되는데, 이러한 자기소모는 세포 재생에 도움이 된다. 또 공복시간동안 간에 저장된 포도당인 글리코겐을 고갈시켜 케토시스를 촉진한다.

(16) 명상

복식호흡을 하면서 명상이나 요가를 하는 것은 스트레스 해소에도 도움이 된다.

스트레스는 코리티솔의 수치를 높이는데 이는 뇌에 독성물질로 작용하게 된다. 또 알츠하이머가 가장 먼저 공격하는 뇌의 해마가 손상을 입게 된다. 명상이나 요가를 통해 스트레스를 해소하여 코르티솔 수치를 낮추고 해마를 보호하는 습관은 치매예방에 도움이 된다. 명상시에는 명상에 도움이 되는 음악을 함께 듣는 것도 좋다.

(17) 정신적으로 활동적인 삶 유지

여행, 독서, 취미활동은 텔레비전을 보며 시간을 보내는 것보다 정신적인 활성을 유지할 수 있다. 정신적으로 활동적인 생활을 하는 삶은 치매예방에 매우 도움이 되는 활력있는 생활 방식이다.

2. 뇌 훈련

낱말퀴즈, 연산, 숫자 게임 등 뇌를 훈련하는 게임이나 습관은 인지능력 유지나 향상에 도움이 된다.

(1) 좌뇌와 우뇌 자극 훈련

좌뇌 자극 훈련	우뇌 자극 훈련
독서	색칠하기
스토리텔링	그림 그리기
동화책 읽어주기	종이접기
큰 소리로 책, 신문 낭독하기	목공예
외국어공부	새로운 길로 다니기
한자공부	네비게이션 대신 지도 활용하기
끝말잇기	연극하기
반대말 찾기	웃음치료
수화 배우기	노래하기
암산	수제품 만들기
계산 문제 풀기	동서남북 찾아보기
라디오 듣기	도자기 굽기

(2) 앞쪽 뇌와 뒤쪽 뇌 자극 훈련

뒤쪽 뇌 자극 훈련	앞쪽 뇌 자극 훈련
같은 도형 찾기	자서전 쓰기
다른 그림 찾기	일기 쓰기
숨은 그림 찾기	낱말 거꾸로 말하기
새로 만난 사람 얼굴 기억하기	악기 배우기
새로 만난 사람 이름 기억하기	타이핑
손바닥에 써준 글씨 알아맞히기(눈감고)	왼손 사용하여 젓가락질하기
사진 스토리텔링	용돈사용 기록하기
오늘 만난 사람 기억하기	명상
눈감고 물건 알아맞히기	과거의 사건 긍정적으로 재해석하기
	즐거운 계획 세우기 (여행, 영화보기 등)
	하고 싶은 일 list 적기

3. 치매예방에 좋은 음식과 성분

(1) 블루베리

뇌세포 손상의 원인 중 하나는 체내 대사작용의 노폐물이라고 할 수 있는 활성산소의 공격인데 블루베리에는 풍부한 항산화 성분(피토케미칼, 안토시아닌)이 들어 있어 활성산소를 중화시켜 준다.

(2) 연어

뇌세포 건강을 위해서는 원활한 혈액 공급이 중요하다. 연어의 풍부한 오메가3는 혈관에 쌓이는 콜레스테롤을 제거해주며, 오메가3지방산 중 하나인 DHA는 뇌 속의 염증반응을 억제하며 뇌의 자연스러운 손상을 지연시켜주는 효과가 있다. 연어의 붉은색 성분인 아스타잔틴은 유해 활성산소를 억제하므로 치매 예방에 도움이 되는 음식이다.

(3) 강황

아밀로이드 반(amyloid plaque)이라고 불리는 단백질은 치매와 관련이 있다. 통계적으로 뇌와 뇌세포 주변에 아밀로이드 반이 많을수록 치매가 올 확률이 높다고 알려져 있다. 카레의 주성분인 커큐민은 아밀로이드 반을 녹여주는 효과가 있다.

(4) 비타민B12

뇌의 인지능력 저하를 막고 인지능력을 유지하기 위해서는 비타민B12가 필요하다. 나이가 들면서 비타민B12 흡수에 필요한 위산 분비가 줄어들면서 비타민B12 결핍으로 이어지는 경우가 많다.

(5) 브로콜리

브로콜리에는 치매예방에 좋은 엽산이 풍부하게 함유되어 있고, 비타민K와 콜린

성분도 들어 있는데, 이런 성분은 신경계 건강에 도움이 되고 인지능력 향상에도 도움이 된다.

(6) 청국장

청국장의 주원료인 콩에는 식물성 식품 중에서 뇌 발달에 필수적인 레시틴이 가장 높게 함유되어 있다. 청국장의 이소플라본 성분은 뇌졸중과 같은 심혈계 질환 예방에도 효과적이다.

(7) 달걀노른자

달걀노른자에는 뇌의 구성성분으로 쓰이는 콜린 성분이 많이 함유되어 있다. 또 달걀은 뇌 신경세포를 활성화하는 효능이 있어 신경전달물질인 아세틸콜린의 분비를 활발히 해주고 빠른 두뇌회전을 돕는다.

(8) 호두

호두에는 오메가3지방산인 알파리놀렌산이 함유되어 있어 노인성 치매의 원인물질인 베타아밀로이드가 뇌에 쌓이는 것을 억제해준다.

(9) 올리브유

올리브에는 단일불포화지방산인 올레산이 풍부한데 올레산은 대표적인 오메가9로 혈압을 낮추어주는 효능이 있다. 따라서 올리브유를 섭취하면 몸속에 있는 나쁜 콜레스테롤의 수치를 낮추고 뇌의 활성 산소를 없애주어 치매를 예방하는 효과가 있다. 적정 섭취량은 1일 3스푼 이내로 1~2스푼 정도를 섭취하는 것이 좋다.

(10) 보라색 과일, 야채

블루베리, 아로니아, 딸기, 포도 등의 베리류 과일과 가지, 적양배추 등 보라색 채소에는 안토시아닌이라는 보라색 색소가 함유되어 있다. 이 안토시안은 나쁜 콜레스테롤인 LDL콜레스테롤의 산화를 방지하여 혈관벽 손상을 예방해준다.

(11) 토마토

토마토에 들어있는 비타민K가 칼슘이 빠져나가는 것을 막아주어 혈관성 치매를 예방하는데 도움을 준다.

(12) 두부

두부에 들어있는 단백질과 필수 아미노산은 소화 흡수율이 높고 콜레스테롤이 없어 동맥경화나 고지혈증에 도움을 주며, 레시틴은 혈관성 치매 예방에 탁월한 효과가 있다.

(13) 시금치, 케일

녹색채소는 인지력이 떨어지는 것을 예방하는 효과가 있다. 그 중 시금치와 케일은 엽산과 비타민B6가 풍부하여 뇌 기능을 보호하는 데에 효능이 있다. 시금치에는 마그네슘을 포함한 여러 미네랄 성분도 풍부하여 뇌의 혈류 개선에도 도움이 된다.

(14) 디톡스 음식

디톡스 음식을 섭취하면 땀, 소변, 대변으로 독성물질이 배출된다. 디톡스 음식으로는 브로콜리, 양배추, 케일, 순무, 콜라비, 무, 청경채, 아보카도, 근대, 마늘, 생강, 포도, 레몬, 올리브 오일, 다시마, 김 같은 해조류 등이 있다.

(15) 생선

생선에는 단백질과 오메가3가 풍부하다. 다만 몸집이 큰 생선이나 오래 사는 생선에는 수은이 함유되어 있으므로 피하도록 한다. 연어, 고등어, 멸치, 청어, 정어리 등은 비교적 안전하다.

(16) 유산균

프로바이오틱스나 프리바이오틱스 섭취는 장의 박테리아를 최적화시키는데 도움을 준다. 김치, 피클, 된장, 청국장 같은 발효식품에 프로바이오틱스가 함유되어 있다. 프리바이오틱스는 양파, 마늘 등에 들어 있다.

(17) 차

차에는 항산화제와 플레모노이드(flavonoids) 화합물이 함유되어 있는데, 이 물질은 뇌혈관이 막히는 것을 예방하는 효능이 있는 것으로 알려져 있다.

4. 치매를 유발하는 생활습관과 식습관

(1) 포도당 수치가 높은 음식 섭취

포도당 수치가 높은 음식에는 설탕, 흰 밀가루, 흰 밀가루로 만든 빵, 흰 쌀, 감자, 전분이 들어 있는 음식 등이 있다.

포도당 수치가 높은 음식을 섭취하면 포도당을 낮추기 위해 인슐린이 다량으로 분비되는데 이 과정에서 세포에 해를 입히게 된다. 포도당 자체가 독성을 지니고 있기 때문이다. 인슐린 저항이 알츠하이머 발병 위험을 높이는 이유는 인슐린이 뉴런의 생존과 관련되어 있기 때문이다. 인슐린은 인슐린 수용체와 결합하여 뉴런의 생존을 위한 신호를 발생시키는데, 인슐린 수치가 늘 높아서 무감각해지면 신경세포인 뉴런을 살리라는 신호가 무뎌진다.

또 인슐린을 분해하는 요소인 IDE는 아밀로이드 베타도 분해하는 요소인데, 인슐린을 분해하느라 아밀로이드 베타를 분해하지 못하므로 아밀로이드 베타 수치는 증가하고 치매발병 확률이 높아지게 된다. 공복 인슐린은 4.5 이하, 공복 혈당은 90 이하로 유지하도록 권장하고 있다.

(2) 염증

만성적인 염증은 노화를 촉진시키고, 암, 심혈관 질환, 관절염을 일으킬 뿐만 아니라 알츠하이머 발병에도 영향을 미치는 것으로 알려져 있다. 따라서 구강 위생 소홀이나 장누수 증후군, 글루텐 과민성장증 등 염증의 원인을 찾아 제거하여야 한다.

(3) 중금속

수은, 비소, 납, 카드뮴 등 중금속은 뇌의 기능에 영향을 미친다.

수은은 알츠하이머병의 전형적인 형태인 아밀로이드 베타 플라크와 신경섬유 매듭을 유도한다. 수은은 충치 충전재인 아말감이나 몸집이 큰 생선을 먹을 때 몸에 축적된다. 참치나 상어, 황새치 등의 큰 물고기를 먹을 경우 물고기의 몸에 축적된 수은이 인체로 들어올 확률이 높다. 납은 인지기능 장애의 원인으로 낡은 페인트, 도시의 먼지 등을 통해 납에 노출될 수 있다. 카드뮴도 알츠하이머병에 영향을 미치는데 흡연, 페인트, 화학 공장 등에서 노출된다.

광산 주위에 거주하는 사람들의 경우 알루미늄, 아연 등의 금속이 녹아 있는 식수를 수년간 마시게 되면, 베타아밀로이드라는 물질이 뇌세포에 축적되어 뇌에 영향을 미치게 된다.

(4) 수면 무호흡

수면 무호흡증이 있는 사람은 알츠하이머 발병 위험이 높아진다. 수면 무호흡증은 인지장애를 일으키는 요인이므로 수면 중 세포가 재건되기 위해서는 수면의 질을 높이는 것이 중요하다.

(5) 수면 부족

수면은 뇌의 세포 구조를 바꾸고 재생시키며, 새로운 뇌세포를 만들어낸다. 잠을 자는 동안 공복상태가 유지되므로 인슐린 저항을 개선하게 되며, 아밀로이드와 같은 세포의 불순물이 제거되고 아밀로이드 생성을 줄여준다. 따라서 수면부족은 인지기능을 악화시키게 되고 치매에도 영향을 미치게 된다.

(6) 글루텐

글루텐은 염증을 유발하고 장 누수 증후군을 유발한다. 염증과 장 누수는 시냅스를 파괴하는 신호를 발생시키므로 글루텐 섭취를 줄이도록 한다.

(7) 인슐린 저항

인슐린 저항은 알츠하이머병의 가장 큰 원인에 속한다. 인슐린 저항을 해결하기 위해서는 식단 조절, 운동, 수면, 스트레스 조절 등이 필요하다.

(8) 티아민 결핍

티아민(비타민B1)은 기억력에 매우 중요한 요소이다. 따라서 건강한 수준의 인지능력을 유지하기 위해서는 티아민을 충분히 섭취해야 한다. 차, 커피, 알코올에는 티아민을 낮추는 효소가 들어 있는데 이런 음식을 먹으면 티아민 수치가 감소된다.

(9) 독성물질

독성물질은 치매의 중요한 원인으로 밝혀지고 있다. TV나 스마트 폰에서 나오는 전자파도 독성물질에 해당된다. 곰팡이 균에 노출되는 것도 알츠하이머 유발과 관련이 있으므로 집안, 에어컨 등에 있는 곰팡이를 제거하고 환기에 신경을 쓰도록 한다.

(10) 영양 불균형

나이가 들면 소화기능도 저하되고, 치아 건강도 나빠지며, 요리가 귀찮아지거나 입맛도 예전 같지 않아 영양 불균형이 되기 쉽다. 영양 부족은 뇌가 신경세포(뉴런)를 잃는 속도를 더 빠르게 만들 수 있다. 탄수화물, 단백질, 지방, 비타민과 미네랄 등 모든 영양소를 고루 섭취해야 하며, 포화지방, 설탕, 알코올, 소금 등의 섭취는 최소화하도록 한다.

(11) 고혈압

다발성 경색치매를 예방하는 가장 좋은 방법은 소규모 뇌출혈을 방지하는 것인데 혈압을 조절하는 것이 가장 중요하다.

(12) 폐경 이후 호르몬

여성일 경우 폐경기 이후 호르몬 치료를 고려한다. 폐경기 이후 에스트로겐을 복용한 여성은 알츠하이머 치매에 걸릴 확률이 매우 낮다. 또한 이미 알츠하이머 치매에 걸린 여성에도 치료 효과가 있다. 에스트로겐 치료는 아세틸콜린 생산을 증가시키는데 효과가 있다.

제5장
노인의 특징

제5장
노인의 특징

노인이 되면 신체적, 정신적, 사회적으로 나름의 특성을 가지게 된다.

1. 노인의 인지기능

(1) 노인의 인지기능 특징

예전에는 성공적인 노화의 개념이 '병 없이 정상적인 신체기능을 유지하는 것'이었으나 고령화 사회가 도래하면서 성공적인 노화에 대한 인식도 변화되고 있다. 수명이나 신체적 건강 외에도 정신적 건강, 사회적인 능력, 생활에 대한 만족도, 인지능력 유지 등도 성공적인 노화의 기준이 되었다. 노인의 인지기능에는 신경가소성이 존재하는데, 이는 노인의 인지기능은 저하될 수도 있고 향상될 수도 있다는 가변적인 특성을 의미한다. 즉 적절한 개입을 통해 노인의 뇌기능을 활성화하여 인지기능을 향상시킬 수 있다는 것을 뜻한다. 뇌의 노화가 진행됨에 따라 인지기능이 저하될 수 있지만 뇌기능과 인지기능간의 관계에는 다양한 변인이 작용한다.

① 인지예비력

인지예비력이란 치매에 대응하는 기제로 인지예비력에 영향을 미치는 요인에는 교육수준, 과거의 직업, 여가활동, 운동과 같은 생활습관 등을 들 수 있다. 연구에 따르면 교육 수준이 낮은 노인, 여가활동 수준이 낮은 노인, 뇌사용이 적은 직업을 가졌던 노인의 인지예비력이 낮다고 한다. 또 성인이 된 후에도 계속해서 배우면 인지 예비력을 늘릴 수 있는 것으로 나타났다.

② 유전자

유전자는 노화과정에서 변화되는 인간행동의 다양한 변수들과 여러 면에서 상호작용할 가능성이 있기 때문에 인지기능과 관련된 결정적인 변수이다. 아포지단백E 같은 유전자형은 알츠하이머병 발생과 밀접한 연관이 있는 유전자형이다.

(2) 인지영역

① 주의력

주의력이란 뇌로 입력되는 정보 중에서 특정한 정보만을 선택하는 능력을 말한다. 주의력에는 다음과 같은 네 가지 범주가 있다.
- 각성 : 가장 기초적인 수준의 주의
- 지속적 주의력 : 각성상태를 일정한 기간 동안 유지하는 능력
- 선택적 주의력 : 주의 배분, 주의 전환 등 많은 정보 중에서 필요한 정보를 선택하는 능력
- 자원 : 정보를 처리하는데 필요한 자원

② 언어기능

치매환자가 겪는 언어의 유창성, 단어능력 저하 등과 같은 언어기능 저하는 의사소통 능력저하로 이어져 심하면 실어증 같은 현상으로 이어지기도 한다. 언어기능을 구성하는 요소에는 언어가 구성하는 소리, 소리의 결합 규칙인 음운, 문법에 관한 규칙인 통사, 언어의 의미에 관한 요소가 있다.

③ 시공간기능

시공간기능이란 대상을 인식하고 위치를 파악하는 분석능력과 2, 3차원 공간에서 공간을 재구성하는 인지기능으로, 시간을 가늠하고 방향을 가늠하는 능력이다. 치매환자의 경우 시공간 기능의 장애가 나타나면 평소 익숙한 장소에서 길을 잃거나 방향을 잃어버리는 경험들을 하게 된다.

④ 기억력

치매노인은 다양한 기억력 장애를 보이게 된다.

의미기억은 일반적인 지식인 단어, 사물, 개념, 사건 등 정보의 의미에 대한 기억이고 일화기억이란 자신의 경험과 관련되며 시간적 공간적 요소와 연관되는 기억을 말한다.

또 기억력은 언어적 기억력과 비언어적 기억력으로 나눌 수 있다. 언어적 기억력은 좌측 해마와 그와 연결된 구조에 편재화 되어 있는 기억으로 새로운 언어 정보를 부호화하고 저장하여 인출하는 능력을 말한다. 비언어적 기억력은 우측 해마와 그와 연결된 구조에 편재화 되어 있으며 시각적 기억 등이 있다. 시각적 기억은 모양기억과 위치기억으로 구성되어 있다.

⑤ 전두엽 / 집행기능

전두엽 집행기능은 전전두엽, 안와전두엽, 내측전두엽의 세 영역으로 나누어진다. 전전두엽이 손상되면 과제를 계획하고 순서대로 일을 처리하거나 일을 동시에 처리하는 능력, 주의전환 능력 등이 손상된다. 안와전두엽 손상은 정서적인 불안감과 탈억제 등의 성격 변화를 일으킨다. 내측 전두엽은 인간의 행동에서 동기부분을 담당하며 내측전두엽이 손상된 사람은 무기력, 의욕저하, 무감동, 무언증, 무의지 등의 증상을 보인다. 평소와 달리 성격 변화가 생길 때, 고집이 세진다거나 우유부단해지거나 화를 잘 내게 되는 경우 전두엽 기능 손상을 의심할 수 있다.

2. 노인의 정서적 특성

노인이 되면 보통 신체 기능도 저하되고 은퇴를 하게 되면서 사회적, 심리적으로 고립감을 느끼기 된다. 이런 정서적 변화는 신체적 노화의 정도나 사회적인 변화에 대한 개인의 적응력에 따라 다른 차이를 보인다.

(1) 노인의 심리적 특징

- 자신의 능력의 한계에 대해 두려움을 가지게 된다.
- 의존성이 강해져 남에게 의지하고 싶어 한다.
- 의존성은 경제적 의존성, 신체적 의존성, 정신적 의존성, 사회적 의존성, 심리적 의존성으로 나눌 수 있다.
- 타인을 이해하기보다는 자기의 주장이 강해진다.
- 친근한 사물에 대한 애착심이 생긴다. 오래된 물건은 과거를 회상하게 할 뿐만 아니라, 세월의 변화에도 불구하고 변하지 않고 있다는 안정감을 노인에게 제공하기 때문이다.
- 보수적 성향이 강해진다.
- 재산, 예술작품, 문학작품, 지식이나 기술, 자손 등 자신의 자취를 남기고자하는 갈망이 강해진다.
- 신체적 쇠약과 질병, 사회로부터의 유리, 경제능력의 약화, 지난 세월에 대한 후회 등의 원인으로 우울감이 증가한다.
- 어떤 일에 대해 누군가의 도움으로 문제해결을 하려는 수동성이 증가한다.
- 조심성이 증가한다.
- 신체변화에 민감한 반응을 보인다.
- 판단이나 결정을 자신의 경험을 근거로 하는 내면화 성향이 높아진다.
- 경직성 증가로 새로운 환경에 적응이 어려워진다.

■ 경험을 통한 통합적 사고, 지혜가 증가한다.

(2) 노인 우울

현대사회의 노인들은 노동현장에서 배제되어 사회적 지위와 역할이 감소되고, 핵가족화로 인해 가정에서의 역할도 낮아지면서 우울감이 생기기 쉽다. 뿐만 아니라 신체적인 질병, 배우자나 친구의 죽음, 경제적 어려움 등 여러 가지 스트레스는 노인의 우울증을 더 가중시킨다. 노인 우울에 영향을 미치는 요인을 세분화하여 보면 다음과 같다.

① 사회인구학적 요인

노인 우울증은 남성에 비해 여성이 더 빈도가 높게 나타나고 있다. 사별, 지인의 죽음, 가정불화나 이사 등 심각한 사건을 겪은 노인의 경우 우울증에 걸릴 위험이 높다. 강박적 성격을 가진 경우나 타인에게 지나치게 의존해 온 성격의 노인도 우울증에 취약하다. 경제적 곤란이나 낮은 교육수준도 노인 우울에 영향을 미치는 요인이다.

② 사별에 의한 애도

배우자와 사별한 노인은 배우자가 있는 노인보다 부정적 사고나 불행감을 느끼는 우울증상이 많이 나타난다. 사별한 나이가 어리거나 사별기간이 길수록 우울증 위험이 높게 나타나는데, 사별 후 우울증이 약 30%가량 나타난다는 연구보고도 있을 정도로 사별에 의한 애도는 우울과 관련이 높다.

③ 신체적 정신적 건강상태

건강상태는 노인의 우울감에 가장 큰 영향을 미치는 요인으로, 건강상태가 나쁘다고 느끼면 우울감이 높아진다. 만성질환을 가지고 있는 노인의 우울감은 매우 높은 편이며, 이는 질병을 악화시키거나 회복을 지연시키기도 한다. 신경전달물질 중 세로토닌이 저하되면 스트레스에 취약하게 되며 우울증이 나타나기도 한다. 식욕이 감퇴되고 무력감이 증가한다.

④ 사회적인 지지

노인의 사회적지지 수준은 노인 우울을 예측하는 가장 중요한 요인이다. 노인은 환경에 적응력이 떨어지기도 하고 사회적인 관계나 지지가 약화되어 자존감도 저하된다. 이러한 스트레스는 노인 우울의 원인이 되며 불안감과 의욕상실로 나타난다. 이 때 가족이나 친구의 지지나 격려는 우울감을 감소시키는데 긍정적인 영향을 미친다.

⑤ 여가활동

여가활동에 참여하는 노인은 그렇지 않은 노인에 비해 우울증에 걸릴 확률이 두 배 가량 낮아진다. 적극적인 활동에의 참여는 일상생활에서의 무료한 시간들을 경감시켜 우울감을 감소시키고, 삶의 만족도를 증가시켜 정신건강 상태를 증진시켜준다.

⑥ 결혼관계

이혼이나 사별은 심각한 상실을 경험하게 하고, 심리적 단절로 인해 우울한 상태가 될 확률이 높다.

(3) 노인 우울과 치매

치매와 노인의 우울증은 밀접한 연관이 있다. 치매에 걸린 노인이 치매에 걸리지 않은 노인보다 우울증에 걸릴 확률이 높고, 우울증에 걸린 노인이 치매에 걸리기도 한다. 노년기에 우울증을 앓았던 노인이 알츠하이머병으로 전환될 수 있는 비율이 정상 노인에 비해 2배가량 높다는 연구보고도 있다. 치매환자와 우울증에 걸린 노인이 모두 정서적 불안정, 무감동증 등의 특징을 보이기 때문에 가끔 혼돈되기도 한다.

3. 노인 우울 척도 (축약형)

(GDS Geriatric Depression Scale) (GDS - 15)

현재 당신의 기분에 대한 질문입니다.

각 질문을 읽고 자신의 기분과 일치하는 것에 표시하세요.

모든 질문에 대답해주세요.

	질문 내용	예	아니오
1	기본적으로 자신의 생활에 만족합니까?		
2	활동이나 흥미가 많이 줄었습니까?		
3	인생이 허무하다고 생각합니까?		
4	지루함을 자주 느낍니까?		
5	기분은 대체로 좋습니까?		
6	무엇인가 나쁜 일이 자신에게 닥치는 것은 아닐까 두려워하고 있습니까?		
7	대체로 행복하다고 느낍니까?		
8	무력감을 자주 느낍니까?		
9	외출하거나 새로운 일을 하는 것보다 집에 있는 편을 더 좋아합니까?		
10	다른 사람보다 기억력이 나쁘다고 생각합니까?		
11	지금 살아 있는 것이 좋다고 느낍니까?		
12	자신의 삶의 방식은 가치가 없다고 느끼고 있습니까?		
13	활기차게 지내고 있습니까?		
14	현재 자신의 상황에서는 희망이 없다고 느낍니까?		
15	다른 사람들이 당신보다 풍족하게 산다고 생각하십니까?		

◎ 채점방법 : 1, 5, 7, 11, 13 문항은 '아니오'를 1점으로 한다.

나머지 문항은 '예'를 1점으로 하여 점수를 합산한다.

◎ 평가 : 합계 8점 이상이면 노인우울을 의심해 볼 수 있다.

4. 노인의 신체적 특성

(1) 신체적 특성

연령이 증가함에 따라 신체의 세포조직 재생능력이 퇴화되어 가면서 여러 질병이 생기게 된다. 골격과 근육의 위축으로 키가 줄어들고 등이 굽어지며, 피하지방이 감소하고 주름도 많아진다. 내장기관도 면역이 저하되어 질병에 감염되기 쉬우며, 소화기능도 저하되어 영양섭취에 균형이 깨지기도 한다. 자극에 대한 반응이 느려져 외상을 입기 쉽고 스트레스도 증가한다. 예비력도 저하되어 질병 발생시 급격히 상태가 악화되기도 한다. 청력, 시력 등의 기능도 저하되어 일상생활에 불편을 느끼게 되고, 고혈압, 당뇨병, 관절염, 심장 및 폐질환 등의 질환을 가지고 있던 경우 다른 합병증에 노출될 위험이 커져 작은 원인으로 상태가 악화되는 일이 많아진다.

(2) 일상생활 수행능력

노인에게 일상생활과 사회활동을 지속하기 위한 독립적인 수행능력은 매우 중요하다. 치매나 질병 등으로 노인이 일상생활 수행능력이 떨어지게 되면 평상시에 익숙하던 일들을 하지 못하게 되면서 생활에 어려움을 겪게 된다. 따라서 노인 스스로 독립적인 생활을 할 수 있도록 모든 것을 도와주기보다 할 수 있는 일은 스스로 할 수 있도록 기회를 주는 것이 중요하다.

① 일반적 일상생활 수행능력

보행, 식사, 정리, 옷 입기, 목욕하기, 개인위생관리, 대소변 가리기, 욕실 사용, 계단 오르기 등이 일반적인 일상생활 수행능력에 해당된다. 연구에 의하면 치매환자들은 일상생활 수행능력 중 목욕하기, 계단 오르내리기, 보행, 대소변 가리기의 순으로 어려움을 보이는 것으로 나타났다.

② 도구적 일상생활 수행능력

돈 관리, 돈 계산, 집안일 하기, 전화 사용하기, 약 복용하기, TV시청, 장보기, 요리,

교통수단 이용하기 등은 도구적 일상생활 수행능력에 해당한다. 이 중 돈 관리, 요리, 장보기에 더 어려움을 겪고 있고 상대적으로 간단한 약 복용이나 집안일, 전화기 사용 등은 비교적 기능이 보존된다.

5. 노년기 발달 과제

(1) 심리적 노화이론

① 내적인 탐색 - 칼 융(Carl G. Jung)

융은 인생의 발달단계를 오전인 전반과 오후인 후반으로 나누어, 전반은 유아에서 청년기에 해당하는 시기이고, 후반은 중년에서 노년기에 해당하는 시기라고 하였다. 인생의 전반기에는 에너지가 외부로 향하나 후반기에는 내적으로 향하게 된다. 예컨대, 발전과 성공을 향하던 에너지나 가정과 자식의 부양 등 외적으로 향하던 에너지가 노년이 되면 자신에 대한 탐색과 다가오는 죽음 앞에서 인생의 참 의미를 이해하는 내적 탐색으로 전환되는 것이다. 에너지가 삶의 본질과 의미를 이해하는 내면세계로 향하는 노년 시기에는 아무리 외적인 면이 충족된다 하더라도 내적인 의미를 찾지 못할 때 심리적 혼란을 겪게 된다.

② 노화에 대한 적응 - 하비거스트 (Robert J. Havighurst)

하비거스트는 젊은 사람만 발달하는 것이 아니라 인간은 나이에 상관없이 계속 발달할 수 있다고 하였다. 인생에는 결정적 시기가 있고 시기마다 그에 필요한 발달이 이루어지면 되는 것이라는 것이다. 하비거스트는 인생의 주기를 아동초기, 아동중기, 청소년기, 성인초기, 중년기, 노년기의 6단계로 나누었다.

이 중 노년기는 보통 사회적인 참여에서 멀어지는 시기이므로 상실에 대한 적응이 발달에 필요한 주된 과제이다. 신체적 건강의 쇠퇴에 대한 적응, 은퇴 등으로 인한 경제적으로 수입의 감소에 대한 적응, 배우자나 친구의 죽음 등에 대한 적응, 대인관계 구축에 대한 적응, 생활에 적합한 활동 계획 세우기, 사회적 역할 수행하기 등이 이루어져야 행복한 노년 생활이 보장될 수 있다.

③ 내면세계의 성장 - 레빈슨 (Daniel J. Levinson)

레빈슨은 자연에 계절이 있듯 인생의 과정에도 각기 다른 계절처럼 독특한 발달과 특성이 있다고 하였다. 레빈슨은 인생의 주기를 아동기, 청소년기, 성인초기, 성인후기(중년기, 노년기)로 나누고, 각 계절 사이에는 환절기에 해당하는 전환기가 있다고 하였다. 전환기에는 현재 삶의 구조에 의문을 던져보고 자아와 세계 안에서 새로운 변화를 모색해보게 된다.

레빈슨에 의하면 발달은 긍정적인 성장의 의미도 포함하지만 소멸하거나 줄어든다는 감퇴의 부정적인 의미도 포함한다. 따라서 노년기에는 많은 기능이 감퇴하는 것은 사실이지만 내면적으로 성장할 수도 있는 것이다. 레빈슨은 내면세계의 성장을 통해 노년기가 다른 계절처럼 풍요로운 계절이 될 수 있다고 보았다. 내면을 성장시키기 위해서는 자신의 삶에 의미를 부여하고, 삶뿐만 아니라 죽음도 긍정적으로 수용하는 자세를 가지는 것이 필요하다.

④ 성숙과 지혜 - 베일런트 (George Vaillant)

베일런트는 나이가 들수록 지혜도 늘어난다고 보고 인생 후반의 성숙을 사회적 성숙과 정서적 성숙의 관점으로 해석하였다.

정서적 성숙에 있어 베일런트는 성숙한 방어기제를 중요한 요인으로 꼽았다. 성숙한 방어기제란 어렵고 힘든 상황에서도 부정적인 상황으로 인식하거나 몰아가지 않고 긍정적으로 생각할 수 있는 능력을 말한다. 성숙한 방어기제에는 현실을 밝게 재구성하는 유머, 내적 갈등을 가치 있는 상황으로 인식하고 전환시키는 승화, 타인에게 도움을 주는 활동으로 연결시키는 이타주의 등이 있다.

미성숙한 방어기제로는 건강에 대한 염려, 수동 공격성, 스트레스와 불안을 일으키는 원인이 다른 사람에게 있다고 보고 타인에게 죄의식, 열등감, 공격성과 같은 감정을 돌리는 투사 등이 해당된다. 미성숙한 방어기제를 성숙한 방어기제로 전환시키기 위해서는 다양한 경험에서 오는 지혜, 긍정적 사고, 타인의 마음을 읽는 능력 등이 필요하다.

⑤ 자아통합 대 절망 - 에릭슨 (Erik H. Erikson)

- 영아기 : 신뢰 대 불신
- 유아기 : 자율성 대 수치심
- 놀이기 : 주도성 대 죄의식
- 학령기 : 근면성 대 열등감
- 청소년기 : 자아정체성 확립 대 자아정체성 혼란
- 청년기 : 친근감 대 고립
- 중년기 : 생산성 대 침체성
- 노년기 : 자아통합 대 절망

에릭슨은 자아정체성 형성이 전 생애를 통해 이루어진다고 보았다. 그는 자아정체성과 관련된 발달 단계를 8단계로 나누고 각 단계마다 극복해야할 위기를 제시하였다.

에릭슨은 노년기의 자아통합은 지금까지 살아온 자신의 삶을 수용하고, 현재의 삶과 죽음을 포함한 앞으로의 삶도 받아들이는 것을 의미한다. 노년기의 자아통합은 절망이 아예 없는 상태가 아니라 절망은 있지만 자아통합이라는 긍정적인 비율이 높은 상태를 말한다. 자아통합에는 지혜와 성숙이 필요한데, 개인이 자신에게 주어진 전 생애를 성공적으로 보냈다면 노년기 과업도 성공적으로 해결하여 과거, 현재, 미래의 삶을 긍정적으로 통합하는 노년기를 보내야 한다는 것이다.

(2) 사회적 노화이론

① 사회유리이론

사회유리이론은 노인이 왜 사회의 중심 역할에서 벗어나는지 설명하기 위해 커밍(cumming)과 헨리(Henry)가 개발한 이론이다. 이 이론은 노인의 사회로부터의 분리를 노인과 다른 사회구성원 모두에게 이로운 것으로 해석하는데, 다른 구성원뿐만 아니라 노인도 스스로 사회로부터 멀어지기를 바란다고 여긴다.

커밍은 노인이 사회로부터 분리되어야 죽음도 자유롭게 맞이할 수 있다고 보았다. 사회에 많이 관련되어 있는 노인의 죽음은 여러 관계들이 정리되지 않은 채 맞이한 죽음이므로 혼란스러운 상황을 야기할 수 있기 때문이다. 헨리는 노인이 되면 점차 사회와 유리되고 이런 과정은 노인과 다른 구성원에게 만족을 제공한다고 보았다. 이러한 사회유리이론은 노인의 역할과 노화의 다양한 특성을 이해하지 못한다는 비판이 있다.

② 지속성이론

지속성이론은 노인의 성격은 젊은 시절의 성격성향이 지속되는 것이지 노년기라고 해서 근본적인 성격이 바뀌는 것은 아니라는 관점이다. 노년기에는 예전의 사회적 방식과 새로운 요구 사이의 적응 문제로 갈등이 있을 수 있지만 근본 성격은 잘 변하지 않는다. 그러나 나이가 들면서 여성은 공격적이고 지도적인 역할로 바뀌고 남성은 보살피고 인내하는 양육적인 역할로 바뀌는 경향이 생기기도 한다. 특정한 취미에 몰두하기도 하고 자기 자신에게 관심을 더 기울이게 되기도 하는데 이러한 성향은 노인을 자기중심적으로 보이게 하기도 한다.

③ 연령문화이론

연령문화이론은 모든 연령은 각 연령별로 사회계층을 형성하고, 이에 맞는 역할과 규범, 사회적 지위가 부여된다는 견해이다. 따라서 노인도 적절한 노인의 역할을 담당해야 한다는 것이다. 노년기에 신체적 기능이 쇠퇴한다고 해서 역할과 지위가 동시에 퇴화되는 것은 아니며, 고령이라는 이유로도 지위와 권력을 얻을 수 있다는 이론이다.

④ 사회교환이론

노인이 되면 사회적 상호작용이 줄어들고 이에 따른 보상이나 자기만족 등 사회적 상호작용에서 이득이 감소하므로 사회적 교환활동이 줄어든다는 견해이다.

노인이 되면 경제적 수입, 대인관계 등 노인과 사회와의 관계에서 불균형교환이 이루어지므로 사회 내 상호작용이 감소된다. 따라서 노인이 대인관계를 재정립하고 사회적 상호작용을 회복하도록 집단 활동 기회를 제공하거나 자원 봉사 등의 사회적 기여를 할 수 있도록 도와줄 필요가 있다.

⑤ 활동이론

활동이론은 사회유리이론과 반대로 노인의 사회참여도가 높을수록 만족감이 높아진다는 견해이다. 노년기의 대인관계는 자아개념을 강화하고 정신적 만족감을 유지하는데 중요한 역할을 하므로 노인의 사회 참여를 격려하도록 한다.

사회활동은 성공적 노년기를 보내는 필요조건으로 여가생활, 사회참여기회 확대, 노인일자리 창출 등이 필요하며, 이런 활동들은 노인들이 신체적, 정신적인 기능을 유지하는데 도움이 된다. 따라서 사회생활에 참여의지가 있는 노인들의 경우 적절한 노인복지서비스를 제공할 필요가 있다.

⑥ 현대화이론

현대화이론은 카우길(Cowgil)과 홈즈(Holms)에 의해 주장된 이론으로 사회가 현대화되면 현대화될수록 노인의 지위가 낮아진다는 견해이다. 전통 농경사회에서는 노인이 중요한 역할을 수행했으나 산업화된 사회에서는 노인인력보다는 고도의 기술이나 기술을 가진 젊은 사람들에게 권력이 이전된다. 이러한 현대화가 노인의 영향과 지위의 하락에 영향을 미치게 되었다는 것이다.

(3) 노년기 발달과업에 따른 노인 교육 영역

영역	세부 교육 내용
지적 영역	·은퇴 이후 생활에 대한 지식과 태도 배우기 ·세대차 이해하기, 사회변화 이해하기 ·건강에 대한 상식 익히기 ·정치경제, 사회문화적 차원의 최신 동향 알기
사회적 영역	·친구와 친분 유지하기 ·자녀, 손자, 손녀 등 가족과 원만한 관계 유지 ·사회적으로 어른 역할하기
심리적 영역	·배우자, 친구 등의 사망에 적응하기 ·자신의 죽음에 대해 수용적 태도 가지기 ·적극적인 태도 가지기
경제적 영역	·퇴직에 따른 수입 감소에 적응하기 ·퇴직 후 새로운 일을 찾는 적극적인 자세 가지기
신체적 영역	·노년기에 알맞은 신체운동 배우기 ·쇠퇴하는 건강에 적응하기 ·질병에 대해 바르게 대처하기
여가생활 영역	·취미 가지기 ·지역사회에 공헌하기
가정생활 영역	·노년기의 의식주 생활 익히기

제6장
노인교육

제6장
노인교육

1. 노인교육 개념

노인교육이란 노인을 위한 교육, 노인에 관한 교육, 노인에 의한 교육을 모두 포함하는 개념으로 설명될 수 있다.

(1) 노인을 위한 교육

평균수명이 연장되면서 노인교육은 단순한 복지 차원이 아니라 노인의 자기계발 욕구를 충족시키는 평생교육의 의미로 변화되어야 한다. 즉, 노인에 대한 단순한 대우나 소수자들을 위한 교육이라는 소극적 입장이 아니라 전생애주기에 걸쳐 연령에 관계없이 받는 교육이라는 평생교육의 입장에서 보도록 하여야 한다. 평생교육은 교육을 평생 동안 지속되어야 할 하나의 계속적 과정으로 보기 때문이다.

노인을 위한 교육은 다음과 같은 목적을 가진다.

■ 노인이 자기계발에 대한 욕구를 충족시킬 수 있도록 장을 열어준다.

■ 노인이 교육 받는 기회를 통해 보다 넓은 사회적 인간관계를 맺도록 한다.

■ 노화의 특징을 이해하고 보다 효율적으로 노년기에 적응하는 방법을 배워 노년을 자기 주도적으로 행복하게 보낼 수 있도록 한다.

■ 사회의 변화에 보다 적극적으로 적응하도록 돕는다.

■ 재취업에 필요한 지식을 제공하여 노인의 경제적 자립과 더불어 지속적인 사회참여를 도와준다.

(2) 노인에 관한 교육

고령화 사회로 진입하면서 생길 수 있는 세대 간의 갈등을 해결하기 위해서는 노인, 노화에 관한 특성과 지식을 젊은 세대에게도 제공해주는 것이 필요하다. 이런 교육기회를 통해 젊은 세대는 자신과는 먼 얘기로만 생각될 수 있는 노화, 노인의 삶에 대해서도 대비할 수 있으며, 노인을 보다 깊이 이해할 수 있게 된다.

노인에 관한 교육은 크게 아동~일반인을 대상으로 한 노인에 대한 이해교육, 은퇴를 앞두거나 은퇴 후의 노인들에게 은퇴 후의 삶을 준비하게 하는 은퇴 준비교육, 노인 관련 직업에 종사하거나 종사를 희망하는 사람들의 전문성을 높여주는 교육으로 분류된다.

노인에 관한 교육의 목적은 다음과 같다.

■ 노인에 대한 제대로 된 지식을 습득함으로써 노인에 대한 깊은 이해와 함께 노인에 대한 고정관념이나 편견을 줄일 수 있다.

■ 이미 노인이 된 이들에게도 현재 자신의 상황을 정확히 이해하고 효과적으로 적응할 수 있게 한다.

■ 노인에 대한 이해를 통해 세대 간의 갈등을 극복하고 이해를 증진시킨다.

■ 잠재적 노인이 될 젊은 세대들이 자신의 노화와 노년기에 대해 구체적으로 준비하고 설계할 수 있는 기회를 제공한다.

■ 노인과 관련된 일에 종사하는 사람들에게 노인에 대해 잘 이해할 수 있도록 도움을 준다.

(3) 노인에 의한 교육

노인은 다양한 삶의 지혜와 경험을 축적하고 있다. 노인에 의한 교육은 이러한 노인의 경험, 지식, 지혜를 활용하는 교육을 말한다. 노인에 의한 교육을 하기 위해서는 노인을 사회에 필요한 인력으로 인식하고 사회참여의 기회를 주는 것이 필요하다. 노인은 사회참여, 자원봉사, 사회공헌을 통해 사회의 중요한 구성원으로 스스로를 재인식하고 영향력을 미치고자 하는 욕구를 충족시킬 수 있게 된다.

노인에 의한 교육의 목적은 다음과 같다.

■ 노인에게 사회에 공헌할 수 있는 기회를 제공하여 자신의 가치를 인식할 수 있게 한다.

■ 지역사회에서는 노인 인력자원을 적절히 활용함으로써 부족한 부분을 보충할 수 있다.

■ 노인들이 사회나 지역사회에 대한 소속감을 갖도록 한다.

2. 노인의 교육욕구

경제적으로 궁핍하던 시대에는 노인에게 의식주 같이 생존과 관련된 욕구가 가장 큰 욕구였다. 그러나 경제적 안정과 교육수준, 사회적 지위가 높아진 현재 노인들에게는 생존 욕구 외에 자아를 실현하고 자기를 계발하려는 욕구가 높아지고 있다.

교육적 욕구란 인간의 결핍상태를 사회교육을 통하여 충족하고자 하는 것을 말한다. 인간의 기본 욕구는 안정의 욕구와 성장의 욕구로 나누어지는데, 성장의 욕구는 자신의 잠재력을 개발하고 자아실현을 하고자 하는 학습욕구가 포함된다. 따라서 노인의 학습욕구에 어떤 것들이 있는지 파악하고 이를 노인교육에 반영할 필요가 있다.

(1) 사회 적응의 욕구

노인이 되면 은퇴, 경제상황의 변화, 사회적 지위 변화, 신체적 노화, 질병,

가족관계의 변화 등 다양한 변화를 경험하게 된다. 이러한 환경의 변화에 잘 대처하여 행복한 노년기를 보내기 위한 방법을 학습을 통해 배우고 충족하고자 하는 사회적응의 욕구가 생성된다.

(2) 사회에 공헌하려는 욕구

노인들은 자신이 사회에서 필요한 존재라는 느낌을 받았을 때 의미 있는 역할을 하고자 하는 사회공헌적 욕구를 가지게 된다. 교육을 통해 사회봉사에 필요한 기능을 훈련받아 지역사회 활동 등에 참여하고자 한다.

(3) 영향을 주려고 하는 욕구

교육을 통해 후세에 문화를 전수하거나 지역사회나 사회 전반에 자신의 의견을 표출하는 등 영향을 주려는 욕구를 가진다.

(4) 친교의 욕구

노인은 교육을 통해 새로운 동성이나 이성 친구를 만나는 등 많은 사람과 친분을 맺고 사회적 관계를 맺고자 하는 욕구를 충족시키고자 한다.

(5) 표현적 욕구

교육을 통해 어떤 목적을 달성하고자 하지 않더라도 활동 자체가 좋아서 교육을 받기도 한다. 새로운 기술이나 취미를 배우고, 다양한 신체적 사회적 활동에 참여함으로써 만족감을 느낀다.

(6) 초월적 욕구

노인은 교육을 통해 신체적 젊음보다 더 중요한 인생의 참된 본질을 찾고자 하는 욕구를 가진다. 이는 노화에 따른 변화를 수용하고 자신의 삶을 조망하고자 하는 욕구를 의미한다. 과거 자신의 삶보다 좀 더 잘 살고 높은 수준에 있다고 느끼고 싶어 하는 욕구도 포함된다.

3. 노인교육 방법

노인교육은 일반적인 학교교육과는 다른 방법의 적용이 필요하다. 노인의 특성상 고령화에 따른 신체적 여건도 고려되어야 하고, 각자 다양한 경험을 가지고 있는 만큼 경험을 중시해주는 교육방법이 필요하다. 노인교육에 필요한 방법들은 다음과 같다.

(1) 자발성

노인에게 일률적으로 참여하게 하는 형식적인 교육이나 강압적이고 타율적인 교육을 해서는 안 된다. 노인이 지금까지의 경험을 바탕으로 스스로 개인의 흥미와 욕구를 바탕으로 배우고 싶은 분야, 필요하다고 생각되는 분야, 관심이 생기는 분야에 자발적으로 참여하도록 하는 것이 중요하다. 또 일방적인 강의보다는 발표, 토의, 견학, 연극, 토론 등 노인 중심의 참여형 수업으로 진행하는 것이 좋다.

(2) 다양화

노인이 교육을 받는 이유는 지식의 습득에만 있지 않으므로 단순 암기나 주입식 교육이 아니라 다양한 교수방법으로 전개해야 한다. 또 여러 가지 감각자료를 활용하여 다양한 경험을 하도록 하는 것이 학습흥미를 높이는데 도움이 된다.

(3) 개별화

노인은 다른 학습 대상자들에 비해 삶의 경험이 다양하다. 지능, 학력, 흥미, 성격, 외에도 건강 상태, 개인의 경험, 가정환경 등 개인차를 고려한 교육을 하여야 한다. 똑같은 교육이라 하더라도 학습자의 경험에 따라 해석에는 차이가 있다. 따라서 대규모 단체교육 보다는 소수로 구성된 학습 집단에서 교육하는 것이 개인의 교육 욕구를 충족시키는데 효과적이다.

(4) 경로사상

노인을 대상으로 한 강사는 다른 강사나 교사와 달리 경로사상을 가지고 있어야 한다. 대부분의 노인 학습자는 강사보다 연령이 높으며, 특정 분야에서는 강사보다 더 풍부한 경험을 가지고 있을 수 있다. 따라서 노인 학습자들이 강사, 교사로부터 존중받고 존경받고 있다는 느낌이 들 수 있도록 해야 한다.

(5) 경험 교육

노인을 대상으로 어려운 이론이나 추상적인 지식을 전달하는 교육은 바람직하지 않다. 노인들이 배우는 내용은 노인들의 일상생활 속에서 일어나는 문제들을 중심으로 실생활과 직결된 것이어야 하며, 직접 경험하면서 배울 수 있는 것이 좋다.

(6) 사회화 교육

노인 교육의 내용은 사회의 변화에 적절히 대처할 수 있도록 도와주는 교육이어야 한다. 다양한 세대 간의 이해를 돕는 교육이 이루어져야 하고, 달라진 가치관, 인간관계, 생활방식, 기술변화 등에 적응하는 방법을 익혀 현대사회에서 원만하고 행복하게 살아갈 수 있도록 하는 교육이어야 한다.

4. 노인교육 현황 및 기관

우리나라 노인교육은 노인복지법에 근거한 노인복지관, 경로당, 노인교실과 대학부설 평생교육원, 노인대학 등 평생교육법에 근거한 평생교육기관에서 이루어지고 있다. 조사에 따르면 노인이 참여한 적 있는 교육기관으로는 시·군·구민

회관이나 읍·면·동 주민센터가 약 25%, 노인복지관이 약 25% 내외로 나타났다. 이외에 사회복지관, 종합복지관, 문화예술회관, 여성회관 등의 공공 문화센터가 15% 내외, 경로당이 약 12%, 종교기관 약 9%, 백화점, 신문사 방송사 등 사설 문화센터나 사설학원 참여경험이 약 8% 내외로 나타났다.

노인이 참여한 평생교육 프로그램으로는 예술문화(댄스, 음악) 관련 프로그램이 가장 많았으며(41.5%), 다음으로는 건강 증진, 운동 관련 프로그램이 36%, 어학(10.4%), 정보화 교육(6.9%) 순으로 나타났다.

(1) 노인복지관

노인복지관은 만 60세 이상 노인을 대상으로 교육 프로그램을 운영하는 노인 여가복지시설이다. 노인복지관에서는 주로 노인을 위한 교양 프로그램, 여가활동, 취미생활을 위한 프로그램, 자원봉사활동, 일자리 참여 기회, 특별 행사 등을 제공한다. 또한 노인 상담, 노인 가족상담, 치매관련 상담, 재무 상담 등 다양한 상담 프로그램도 운영하고 있다. 프로그램은 무료로 제공되거나 저렴한 교육비로 참가할 수 있다.

(2) 경로당

경로당은 지역노인들이 친목이나 취미활동, 정보교환, 오락 활동 등을 목적으로 자율적으로 모이는 곳으로 노인정이라고도 한다. 주로 경로당은 주민들에 의해서 비영리로 운영된다. 경로당에서는 바둑, 장기, 화투놀이 등 친목을 위한 오락 활동이나 대화, TV시청 등을 주로 하나 프로그램이 조직적이고 계획적으로 운영되는 곳도 있다.

요즘은 1백 가구 이상의 공동 주거시설을 지을 때 경로당을 설치하는 것을 의무로 하고 있다. 지방자치단체에서는 모범 경로당 시상제도를 마련하여 우수 시설 운영 사례를 파급하기 위해 노력하고 있으나 시설의 협소화와 비조직화 등으로 제한점을 가지고 있다.

(3) 노인교실

　노인교실은 노인여가생활과 사회 참여 욕구를 충족시키기 위해 취미생활, 건강정보, 금융 등 일상생활과 관련한 학습프로그램을 제공하는 시설이다. 노인교실은 개인, 노인단체, 종교단체, 사회봉사단체 등에 의해 운영되고 있고 교육 프로그램이나 여가활동 프로그램 등의 강좌가 개설된다.

(4) 대학 평생교육원

　대학 평생교육원에서는 노인교육 전문가 과정이나 교양 교육 프로그램 등을 개설하고 있다. 교양교육 프로그램에는 여가생활이나 취미활동, 건강교실, 예술 활동, 직업교육, 각종 위탁 교육 등이 있다.

제7장
치매예방 및 치료 교육

제7장
치매예방 및 치료 교육

치매노인은 자신의 실수와 문제 행동으로 우울감이 생기고 자존감이 낮아지면서 남아있던 기능마저 저하되는 경우가 많다. 따라서 인지기능의 손상을 줄여주고 자존감을 회복시켜주고 독립심 증가에 도움이 되는 다양한 활동 및 교육 프로그램이 필요하다. 치매노인의 일상생활수행능력 강화를 위해 다양한 치료 기법들이 활용되는데, 대표적인 요법으로는 음악치료, 미술치료, 작업치료, 독서치료, 원예치료, 사진치료, 운동치료, 향기치료, 회상치료, 스토리텔링 놀이치료 등이 있다.

1. 치매예방 교육의 효과와 주의점

치매노인의 정서적, 신체적, 사회적 기능을 향상시켜주기 위한 활동 프로그램들은 다음과 같은 유용한 효과를 기대해 볼 수 있다.

(1) 치매예방 교육의 효과

① 자립심
치매노인이 인지적, 신체적 기능을 잃어간다 하더라도 가능한 스스로 참여할 수 있는 활동프로그램에 참여시키면 자존감을 향상시킬 수 있다. 스스로 활동을 선택하고 도전해보게 하고 책임감을 가지게 함으로써 자립심 향상에 도움이 된다.

② 즐거움과 만족감

다양한 활동들은 성취감을 맛보게 하며 이런 경험들은 치매노인들에게 즐거움과 만족감을 가져다준다.

③ 사회성 증진

치매노인이 참여하는 활동 중 다른 사람과 상호작용을 맺으며 진행되는 활동들은 소속감, 협동심, 참여의식, 의사소통 기술 향상에 도움이 되며 치매노인의 사회성을 증진시켜준다. 치매노인의 경우 가족과 친구들과의 소통에서 멀어지게 되는 경우가 많으므로 이런 프로그램의 참여를 통해 사회적 관계를 맺고 유지하도록 도와줄 수 있다.

④ 신체적 건강

소근육과 대근육을 활용하는 프로그램들은 치매노인의 신체기능을 회복시켜주고 체력유지에 도움을 준다.

⑤ 정신적 건강

참여하는 활동들로부터 얻게 되는 만족감, 즐거움, 자신감, 성취감, 기쁨 등은 치매노인의 정서건강에 도움이 된다.

⑥ 지적 자신감 향상

지적 기능을 유지하거나 향상시켜주는 활동들을 통해 할 수 있다는 자신감과 만족감을 증대시킬 수 있다.

(2) 치매노인 활동 프로그램 진행시 주의점

같은 활동이라 할지라도 노인들에 따라 관심도가 다르다. 각자 인지적, 정서적,

신체적 상태가 다르기 때문에 차이를 존중하며 프로그램을 운영해야 한다.

- 민감한 문제를 다룰 때에는 신중하게 접근하는 것이 좋다.

- 노인들을 대할 때 존중하고 공경하는 마음으로 대하도록 한다.

- 주의집중을 하지 않더라도 반응 속도에 맞추어 프로그램을 조절하도록 한다.

- 화를 내거나 흥분하는 경우는 신체적 고통이나 스트레스를 받고 있을 수 있으므로 안정을 찾도록 도와주어야 한다.

2. 음악치료

음악은 사람의 마음을 감동시키고 과거의 즐거움을 회상하게 하는 대표적인 매개체이다. 노인은 친숙한 음악을 듣거나 음악관련 활동을 통해 관련 기억들을 떠올리며 즐거움을 느낄 수 있고, 언어로는 표현할 수 없는 감정을 비언어적인 정서로 표현할 수도 있다. 사람은 성장하면서 다양한 음악적 경험들을 접하게 되는데, 음악으로 기억을 깨우는 과정을 통해 치매노인의 자존감을 높이고 인지기능을 향상시키는 효과를 얻을 수 있다.

(1) 음악치료란

음악치료란 음악을 활용하여 인간에게 긍정적이고 바람직한 행동 변화를 가져오도록 돕는 요법이다. 음악요법에 적용되는 요소는 리듬, 하모니, 멜로디, 음색 등으로 치료 대상자의 상황과 목적에 따라 적용에 차이를 둘 수 있다. 방법에는 노래 따라 부르기, 악기 연주, 음악 감상, 반주하기 등의 방법이 있으며, 음악치료는 치매 노인의 인지기능 및 행동, 정서에 효과가 있다고 알려져 있다.

(2) 음악치료의 원리

① 동질의 원리

환자의 기분과 감정에 맞는 템포의 음악을 사용하면 환자는 그 음악을 받아들여 치료에 유효하게 작용하는데 이를 동질의 원리라 한다. 내면의 소리, 유년기의 경험 등 환자에게 축적되어 있는 여러 가지 경험들이 마음으로 받아들여졌을 때 음악치료가 유효해진다. 따라서 여러 가지 음악의 요소를 활용하여 이러한 동질의 원리를 찾는 것이 필요하다.

② 이완 효과

음악은 상처입고 긴장된 마음을 완화시켜주는 역할을 하며 신체의 긴장도 부드럽게 해주는 역할을 한다. 이완 효과가 나타나도록 하기 위해서는 환자의 음악 선호도를 파악하는 것이 중요하므로 환자 개인의 음악 선호 성향을 미리 파악하도록 한다.

③ 카타르시스 효과

현재 자신의 기분이 나쁠 때 비슷한 분위기의 음악을 선택해서 들으면 점점 더 감정이 악화되지 않을까 걱정될 수 있다. 반대로 현재 상태와 반대의 특성을 가진 음악이 감정을 중화시키는데 도움이 된다고 생각할 수 있지만, 동질의 음악이 환자에게 받아들여질 가능성이 높다. 왜냐하면 비슷한 상황의 음악을 들으면 감정의 응어리를 드러내고 이를 자가 치료하는 카타르시스를 느낄 수 있기 때문이다.

(3) 치매노인에게 적용하는 음악치료의 효과

음악에 몰입하는 경험은 자연스럽게 신체기능과 정신기능을 향상시킨다. 음악요법은 감각을 자극함으로써 퇴행을 늦추게 하고, 잠재적인 문제행동을 감소시키는 효과도 있다. 또 음악을 통해 조성되는 활동적인 상태는 멜라토닌을 증가시킨다.

치매노인에게 적용하는 음악치료 요법은 구체적으로는 다음과 같은 효과를 얻을 수 있다.

■ 음악은 과거의 즐거움을 회상하게 하고 기억을 자극한다.

■ 음악은 오랜 시간동안의 집중력을 필요로 하지 않는다.

■ 음악활동을 통해 집중력, 기억력 등 인지기능을 개선할 수 있다.

■ 음악은 기억을 끌어내거나 동반된 정서를 유발시킨다.

■ 자유롭고 비지시적이라 즐겁게 진행할 수 있다.

■ 리듬감을 회복하여 운동기능을 강화시킬 수 있다.

■ 조용한 음악은 흥분을 가라앉히는 효과가 있다.

■ 자기표현을 통해 성취감을 경험하게 할 수 있다.

■ 동참하는 사람들과 함께 활동함으로써 사회적 고립을 없애고 대인관계 및 의사소통기술을 향상시킬 수 있다.

■ 우울감, 스트레스, 분노 등 부정적인 감정요소가 감소될 수 있다.

■ 음악 활동은 위험한 물건을 사용하지 않고 안전하게 진행될 수 있다.

■ 언어자극, 감각자극 등 인지활동을 촉진시킨다.

(4) 음악치료 방법

① 노래

음악요법을 적용할 때는 대상자가 선호하는 곡으로 선정하는 것이 가장 효과적이다. 따라서 치매 노인이 어릴 때 즐겨 듣거나 불렀던 노래 등 선호하는 노래를 장르별로 파악해두는 것이 필요하다. 어떤 노래를 선호하는지 파악할 때는 장르별 선호곡, 좋아하게 된 이유, 자주 부르던 노래, 자주 듣던 노래, 노래를 들을 때 기분 등을 확인하는 것이 좋다.

노래를 들어줄 때는 환자에게 좋은 기분과 기억을 떠올릴 수 있는 음악을 들어주어야 한다. 대상자의 요구에 따라 반복 청취 등의 작동이 가능한 방법을 익혀두는 것이 필요하며, 설령 잘 따라 부르지 못하는 경우가 있더라도 용기를 주도록 한다.

노래와 관련된 음악요법을 실시할 때 노래 선정은 다음과 같은 기준으로 하는 것이 도움이 된다.

> · 사람을 생각나게 하는 노래
> · 장소와 관련되거나 장소를 생각나게 하는 노래
> · 계절에 관한 노래
> · 일 년 중 각 달과 관련된 노래
> · 요일과 관련된 노래
> · 날씨와 관련된 노래
> · 시대와 관련된 노래
> · 특정 이름이 반복해서 나오는 노래

치매 노인이 좋아하는 노래를 장르별로 분류하면 다음과 같다.

장르	노래 제목
유행가	섬마을 선생님, 남자는 배 여자는 항구, 차차차, 마음 약해서 나그네 설움, 목포의 눈물, 운다고 옛사랑이, 처녀 뱃사공, 남행열차 사랑해, 산장의 여인, 동백아가씨, 두만강, 하숙생
동요	산토끼, 송아지, 과수원길, 아빠하고 나하고, 학교종, 오빠생각 푸른하늘 은하수, 고향생각, 고향의 봄, 깊은 산속 옹달샘
민요	아리랑, 닐리리타령, 진도아리랑, 정선아리랑, 밀양아리랑, 천안삼거리 노들강변, 꽃타령, 풍년가, 태평가, 도라지타령, 진도아리랑, 달타령
판소리	심청전, 춘향전

치매 노인이 노래를 부르면 다음과 같은 장점을 얻을 수 있다.

■ 노래를 따라 부르면서 용기를 가지게 된다.

■ 자신이 좋아하는 노래를 불러봄으로써 자신의 존재에 대해 깨닫게 된다.

■ 율동을 포함시키면 소근육과 대근육 자극이 된다.

■ 여러 명이 함께 율동을 하고 춤을 추는 활동을 병행하면 타인과 친밀해지기
쉽고 대인관계에 도움이 된다.

② 악기 연주

악기연주도 신체 및 정서 안정에 도움이 된다. 소고, 탬버린, 캐스터넷츠 등 비교적
다루기 쉬운 리듬악기를 이용하여 좋아하는 음악을 듣는 동안 박자 맞추기를 하면
즐거움을 줄 수 있을 뿐만 아니라 집중력에도 도움이 된다. 핸드벨과 같은 집단
악기연주 활동은 의사소통과 화합, 상호작용에 도움을 주는 방법이다. 또한 이전에
악기를 다룰 수 있었던 대상자들은 치매라 할지라도 악기 연주를 통해 즐거움을
누릴 수 있고 자신감도 향상될 수 있다.

③ 즉흥 연주

즉흥 연주는 환자가 리듬이나 노래, 멜로디를 즉흥적으로 만들어 노래하거나
연주하는 기법이다. 악기나 목소리, 신체를 활용하여 자유롭게 연주할 수 있고, 솔로,
합주 등 다양한 형태로 진행할 수 있다. 즉흥 연주는 환자의 정서를 자유롭게 표출할
수 있도록 해주며, 협동심과 자존감 회복, 감각기능 향상에도 효과가 있다.

④ 창작

창작은 환자가 노래나 가사, 멜로디를 창작하거나 뮤직비디오 등을 만드는
기법이다. 창작 기법은 환자의 창의성을 향상시키고, 자기표현능력 향상, 기획력 향상,
집단 결속력 강화에 도움이 되는 방법이다.

⑤ 음악 감상

음악 감상은 의도적으로 음악을 집중하여 듣는 것으로, 음악치료에서 음악
감상은 단순한 감상뿐만 아니라 음악을 들으며 떠오르는 이미지나 감정을 표현하고
공유하는 활동을 포함한다.

음악 감상 방법으로는 환자가 좋아하는 음악을 선곡하여 감상하거나, 노래듣고

제목 알아맞히기, 곡에 사용된 악기 찾기, 음악의 연상 작용을 활용하여 환자의 욕구를 충족시키는 심상유도방법 등이 있다. 단 심상유도 방법은 망상이나 환각 증상이 있는 환자에게는 사용하면 안 된다.

⑥ 생활리듬

생활리듬은 전통 악기를 사용하여 집단 참여를 촉진시키고 구성원간 결속력을 다지게 하는 음악치료기법이다. 특별한 훈련이나 음악적 경험이 없는 사람도 쉽게 접근할 수 있는데, 주로 긴장 고조나 완화, 정서 고양 등의 목적으로 사용된다.

⑦ 배경음악

배경음악은 음악활동 자체가 목적이 아니라 다른 활동을 촉진하기 위한 목적으로 사용된다. 춤이나 율동에 음악을 활용하거나, 그림을 그릴 때, 회상할 때 음악을 틀거나, 요가 등 긴장 이완 프로그램을 진행할 때 음악을 배경으로 사용하는 방법이다.

3. 원예치료

(1) 원예치료란

원예치료란 식물과 원예활동을 통하여 사람의 사회적, 신체적, 심리적 적응력을 높이고 신체 및 정신적 치유와 재활을 도모하는 활동을 말한다.

(2) 원예치료의 효과

우리나라 노인들은 대부분 젊은 시절 농사에 대한 직접적, 혹은 간접적 경험이 있기 때문에 원예 활동은 노인들에게 친숙하게 적용할 수 있는 활동이다. 또 원예치료는 생물을 대상으로 직접 눈으로 보고, 만지고, 코로 맡고, 움직이면서 하는 활동이므로 감각 자극 효과가 뛰어나다. 원예치료의 영역별 효과는 다음과 같다.

① 인지적 효과

■ 다양한 식물 용어를 학습함으로써 기억력과 어휘력을 증가시킨다.

■ 씨뿌리기나 화초 심기, 나무 심기 등의 활동을 하면서 수 개념을 가르칠 수 있다.

■ 식물의 성장, 계절 변화에 따라 시간 지남력을 키울 수 있다.

■ 식물에게 필요한 요소나 식물을 이용하는 방법에 대한 프로그램을 활용하여 판단력을 증가시킬 수 있다.

■ 관찰력을 향상시킨다.

■ 식물을 관찰하고 결과를 해석함으로써 판단력과 사고력이 증진된다.

■ 식물이 어떻게 음식재료로 쓰일지 생각하도록 함으로써 사고력과 상상력을 향상시킬 수 있다.

■ 식물을 키우는 장소 등을 인지시킴으로써 장소 지남력을 키울 수 있다.

■ 전체를 보는 안목과 계획성을 증가시킬 수 있다.

■ 호기심을 증가시킨다.

② 정서적 효과

■ 식물과 관련된 활동을 함으로써 우울감을 감소시키고 건전한 자신감을 증가시킨다.

■ 자제력을 증진시키고 심리적인 안정을 도모할 수 있게 도와준다.

■ 자아존중감을 증대시킨다.

■ 공격적인 행동을 줄이도록 도와주는 등 정서적 안정에 도움이 된다.

■ 창의력과 자기 표현력을 증대시킨다.

③ 사회적 효과

■ 원예활동은 혼자서도 할 수 있지만 여러 사람이 함께 해야만 하는 활동들도 있으므로 책임감을 키울 수 있다.

■ 의사소통 기회를 통해 대인관계 향상에 도움이 된다.

■ 협동심을 향상시키고 타인에 대한 존중감을 높인다.

■ 그룹 활동 중에 자기가 맡은 역할을 배우게 된다.

■ 리더십을 키울 수 있다.

④ 신체적 측면

■ 허리, 다리, 무릎, 손, 손가락 등 신체의 다양한 부분을 사용하므로 소근육과 대근육을 함께 발달시킬 수 있다.

■ 협응 능력을 향상시킨다.

■ 균형감각을 유지하는데 도움이 된다.

(3) 원예치료 방법

원예치료 방법은 환자의 참여형태에 따라 주체적 참여방법과 객체적 관찰 방법으로 나눌 수 있다. 주체적 참여방법은 환자가 직접 원예 활동에 참여하는 방법이고, 객체적 관찰방법은 다른 사람이 조성한 식물경관, 실내 환경, 식물 등을 관찰하고 느끼게 하는 방법이다.

주체적 참여방법은 식물재배 프로그램과 식물 이용 프로그램으로 나눌 수 있다. 식물재배 프로그램은 식물의 파종, 모종 심기, 화분 재배, 식물 관리, 화단 가꾸기, 수경재배 등이 있고, 식물 이용 프로그램으로는 압화, 꽃꽂이, 포푸리 만들기 등이 있다.

객체적 방법으로는 식물을 두고 함께 생활함으로써 공기청정, 습도 유지, 음이온

방출, 심신 안정 방향물질 효과를 통해 치료효과를 얻는 방법이다.

(4) 치매환자에게 적용하는 원예치료 프로그램

채소 파종하기	꽃모종 심기	압화 액자 만들기
채소 모종 심기	꽃 포장하기	포푸리 만들기
채소 수확하기	꽃꽂이	조화 브로치 만들기
콩나물 키우기	꽃 말리기	리스 만들기
수경식물 재배	접시 정원 만들기	신발정원 만들기
나뭇잎 엽서	숯 부작	테라리움 만들기
조화 꽃꽂이	잔디인형 만들기	허브 모종 이식

(5) 원예치료시 주의점

치매환자를 대상으로 원예치료 요법을 실시할 때는 다음과 같은 점을 주의하여야 한다.

- 치매환자의 기능과 흥미가 다를 경우 기대한 효과를 거두기 어려우므로, 최대한 유사한 기능과 선호를 지닌 환자들로 그룹을 만든다.

- 식물은 생명력이 강하고 성장속도가 빠른 식물을 선택하는 것이 좋다.

- 가시가 있거나 잎이 뾰족하거나 독성이 있는 식물은 피하도록 한다.

- 원예활동 도구 중 낫, 가위, 칼, 삽 등은 흉기가 될 수 있으므로 충분히 사용 주의를 주고, 활동 전후에 개수를 비교하여 관리하도록 한다.

- 리본, 노끈, 밧줄 등 원예치료 도구는 타인에게 위험하게 사용되지 않도록 잘 관리한다.

- 비료, 농약 등을 흡입하지 않도록 관리에 주의한다.

- 환자의 수준에 맞는 프로그램을 계획한다.

- 치매환자의 특성을 고려하여 가능한 단순한 활동을 선택한다.

■ 환자가 도구를 잘못 다루는 경우에는 비난하지 말고 수용적 태도로 대한다.

■ 원예활동을 하기에 채광이 좋고 충분한 공간이 확보된 곳에서 진행한다.

■ 문제 행동에 대처할 수 있도록 보조 인력이나 간호 인력과 함께 지도한다.

(6) 실내에 두면 좋은 식물들

■ 침실 : 색이 자극적이고 화려한 식물은 피한다. 안개꽃이나 스타치스 같은
　　　 꽃들은 불면증에 도움이 된다.

■ 거실 : 네프롤레피스 - 냄새 제거
　　　 파키라 - 편안한 느낌
　　　 허브 식물 - 우울증, 정서안정에 도움
　　　 벤자민 고무나무, 스킨답서스 - 일산화탄소 제거

■ 주방 : 스타티필름, 벤자민 고무나무 - 이산화질소, 이산화황 등 냄새 제거 및
　　　 정화력
　　　 장미 - 식욕을 돋구어 줌

4. 회상치료

(1) 회상치료란

　회상이란 자신의 인생을 돌아보는 과정으로, 과거의 경험 중에서 의미 있는 것에 대해 떠올리거나 이야기하는 것을 말한다. 회상치료는 사회 환경적 치료의 하나로 노인들이 경험한 과거의 사건들 중에서 즐겁고 유쾌한 경험을 떠올리고 공유함으로써 노인의 정서적 안정, 인지 기능향상, 사회적 상호작용을 돕는 요법이다. 최근에는 촉각, 청각, 후각, 시각 등 감각자극을 이용하여 회상을 이끌어내는

방법들도 시도되고 있다.

치매노인의 경우, 인지기능 장애와 경청 능력의 저하, 과거 사건의 재구성 등의 문제로 인해 중증도 이하인 경우에 회상요법 적용이 적합하다. 마음을 열고 들을 준비가 되어 있는 대상과는 교육의 정도나 증상의 심각성에 크게 영향을 받지 않고 적용할 수 있다.

(2) 회상이론

회상은 노년기에 발생하는 심리적 특징으로 정상적인 생애 회고과정이다. 생애 회고는 과거의 경험을 체계적, 순차적으로 돌아보며, 과거에 해결하지 못한 갈등을 해결하고 재조직할 수 있는 방법이다. 과거의 경험을 재조직하는 일은 자신의 삶에 보다 큰 의미를 부여하게 되고 타당한 모습을 제공하여 죽음에 대한 두려움을 완화시켜 준다.

에릭슨의 발달단계 이론에서는 노년기는 자아통합 대 절망의 단계로서, 이 시기에 자신이 의미 있는 사람이며 자신의 인생은 자신의 책임이라는 사실을 받아들일 때는 절망을 극복하고 자아통합감을 얻게 된다. 하지만 반대의 경우에는 절망을 경험하게 되는 시기이다. 노년기에는 자신의 인생을 자연스럽게 되돌아보게 되는데, 자신의 삶이 최선을 다해 노력한 삶이었다고 생각하며 자신을 긍정적으로 평가할 때 죽음에 대해서도 자연스럽게 받아들이게 된다. 그러나 과거의 생이 불만스럽거나 실패했다고 생각하는 경우, 또는 죽음을 앞두고 남은 시간이 부족하다고 생각하는 경우는 절망감을 가지게 된다. 따라서 자신의 삶을 돌아보고 절망감에 빠지지 않고 자신의 삶을 가치 있게 여기도록 하여 죽음에 용기로 직면할 마음가짐을 가지게 하는 것이 중요하다.

(3) 회상 유형과 회상치료 유형

회상요법을 실시할 때 노인이 어떤 회상 유형인지 파악하면 도움이 될 수 있다. 회상의 유형은 적응유형, 방어유형, 회피유형, 갈등유형의 네 가지 유형으로 분류할 수 있다.

· 적응유형 : 자신의 삶을 잘 받아들이는 유형

· 방어유형 : 자신의 자존감을 보존하는데 유리한 과거의 기억만을 떠올리거나 얘기하는
유형

· 회피유형 : 현재나 미래에 관한 사건은 얘기하지만 과거와 관련된 사건에 대한 언급은
회피하는 유형

· 갈등유형 : 과거를 받아들이지 않고 불만족스럽게 느끼는 유형

회상치료 유형은 개인치료, 집단치료, 구조화된 치료, 비 구조화된 치료, 아무 통제가 없는 스토리텔링식 자유연상형, 특정 주제나 표현에 통제를 받는 선택형, 언어적 표현 방법 또는 비언어적 표현방법을 사용한 유형 등 다양하다.

■ 개인회상

개인 회상치료는 환자가 내성적이고 자신의 이야기를 노출하는 것을 싫어할 때, 환자와 치료자간의 신뢰와 친밀감이 생겼을 때 형식에 구애받지 않고 진행할 수 있다는 장점이 있다. 환자와 친밀하고 신뢰감이 느껴지는 관계에서 개방적 표현이 가능하다는 장점이 있으나 비용과 시간이 많이 든다는 단점이 있다.

■ 집단회상

구성원에게 긍정적 사회경험을 느끼게 하고 집단 결속력을 증진시키며, 타인과의 공유를 통해 마음의 지지를 받을 수 있다. 집단 회상요법을 실시할 경우 적정한 인원은 7~10명 내외이다,

(4) 회상치료의 효과

노인은 회상을 통해 자신의 모습을 되찾고 과거의 자신과 현재의 자신을 연결한다. 치매환자들은 최근 일을 잘 기억하지 못하는데 비해 오래 전 기억은 비교적 잘 기억하므로, 과거에 있었던 일을 회상하여 다른 사람에게 들려주는 일은 노인에게 큰 즐거움을 준다. 지나간 일을 자랑스럽게 회상하면 자존감이 높아지기도 하며, 우울감에서 벗어나기도 한다. 또한 회상을 통해 자신의 현재 상황에 대해

판단하는데 도움을 받으면서 자신에 대해 새로운 정체감을 만들게 된다.

- 즐거웠던 기억의 회상과 감정의 표현으로 우울감을 감소시킨다.

- 기억을 공유하는 대화 시간을 통해 사회적 상호작용을 증진시킨다.

- 지나간 삶에 대한 회상을 통해 성취감을 느끼게 하고 자존감을 향상시킨다.

- 자신에 대한 이해와 타인과의 연계성을 증대시킨다.

- 슬픔, 분노, 아픔등 해결되지 못한 과거 갈등을 재인식, 재평가, 재통합하는 기회를 제공한다.

- 인생의 의미와 가치를 깨닫고 긍정적 자기개념을 형성시킨다.

- 장기기억이 보존된다.

- 집단 회상요법을 통해 소속감과 사회적 안정감을 느낄 수 있다.

- 발언의 빈도와 언어기능을 향상시킬 수 있다.

- 과거, 현재, 미래 사이에 조화된 견해를 가지고 자신의 삶을 가치 있게 여기게 됨으로써 성공적인 노후생활 적응에 도움을 준다.

- 환자가 고통을 극복하고, 죽음에 대한 통합과 희망을 가지는 데에도 도움이 된다.

(5) 회상 활동 방법

사진, 회상카드 등 과거의 기억과 관련된 소품, 악기, 음악 등을 이용하여 옛 기억을 떠올리게 한다. 과거 기억 중 의미가 있었던 사건, 사람, 감정 등을 찾아내어 음미하도록 한다. 사진을 보면서 사진 속에 있는 사람의 이름을 말하도록 하거나 장소에 대한 추억이나 에피소드를 떠올려 설명하도록 한다. 추억의 물건이 있는 경우 그 물건과 관련된 당시의 일을 떠올려 말하게 한다. 찍어둔 동영상이 있으면 활용하거나 가족이나 친척의 동영상을 찍어서 보여주면서 기억을 유지할 수 있게 해주는 것도 좋은 방법이다.

회상요법을 진행할 때 치매노인의 가족, 친구들로부터 노인의 정보를 미리 알아두면 도움이 된다. 어떤 주제는 집단 활동에 적절하지 않은 주제가 있을 수 있으므로 미리 알아둔 정보를 바탕으로 주제를 선정하는 것이 바람직하다.

(6) 회상치료시 주의점

■ 과거의 일에 대해 이야기를 나눌 때는 지난번에 한 얘기와 이번에 하는 이야기를 다르게 하면 상대방이 혼란스러울 수 있다. 따라서 과거의 사실에 대해 일관성 있게 이야기하도록 한다.

■ 치매노인과 대화 시에는 정확한 발음으로 이야기해야 한다.

■ 치매노인이 바로 기억해내지 못해도 스스로 기억할 수 있도록 시간을 충분히 주도록 한다.

■ 기억을 떠올릴 수 있는 물건을 미리 준비해 두는 것이 좋다.

■ 치매노인의 기억과 대화 상대자의 기억이 다를 경우 언쟁을 벌이지 않도록 한다.

■ 치매노인이 기억을 잘못 떠올렸을 경우 잘못되었다고 바로 정정하기 보다는 시간을 두고 자연스럽게 고쳐주는 것이 좋다.

■ 대화자는 어떤 사건이나 일에 대해 주관적 감정을 섞어 다투지 않도록 한다.

■ 집단회상에서 구성원의 지지와 수용을 받으면서 회상을 하는 경우는 긍정적 효과가 나타나지만, 아무 도움 없이 혼자 자신의 과거를 회고할 경우 부정적 결과가 나타날 수 있다.

■ 해결되지 않은 감정을 회고할 경우 부정적 결과가 발생할 위험이 높으므로 주제 선택시 주의한다.

(7) 회상치료 주제

치매노인에게 적용하는 회상요법의 주제는 개인적, 환경적 상황에 대해 이해한 후

선택하는 것이 좋다. 행복하고 즐거운 회상 주제나 갈등 해소에 도움을 줄 수 있는 주제로 선정하는 것이 좋으며, 죄책감이나 실망감 등 부정적인 정서를 확인할 수 있는 주제는 피하는 것이 좋다.

회상요법에서 주로 활용하는 주제는 다음과 같다.

첫사랑	소풍	좋아하던 노래	좋아했던 가수
결혼식	기억나는 선생님	어릴 때 놀이	별명
어머니	아버지	할머니/할아버지	화장실
배고팠던 기억	좋아했던 음식	첫 직장	혼났던 일
내가 좋아한 사람들	나를 좋아해준 사람들	젊은 시절 특기	자녀가 태어난 날
예방주사	내 집 마련	불 / 물	과일 서리
심부름	친척들	명절날	행복했던 기억들
손녀 손자	아이들 결혼식	태풍/홍수	칭찬받은 기억
곤충잡기	부모의 가르침	좋아했던 배우	배웠던 기술
좋아했던 공부	친구와의 일탈	동물 관련 추억	슬펐던 기억
기억에 남는 영화	기억에 남는 드라마	기억나는 여행지	연애
기억나는 선물	아끼던 옷	자녀의 어릴 때 장점	뿌듯한 자녀
태몽	계절 관련 일화	어릴 때 단짝 친구	고향
군대생활	반려동물	부모의 생애	집안 행사
작명	시집살이	처갓집	민간요법
부모님이 좋아하셨던 음식	특별한 선물	어릴 때 형제자매	이사
기억나는 이웃	새 옷	아들/딸	마을 행사

(8) 회상 질문 예시

① 결혼
- 할아버지(할머니)를 어떻게 만나셨어요?
- 결혼식은 어디에서 하셨어요?
- 신혼여행은 어디로 다녀오셨어요?
- 청혼은 누가 하셨어요?
- 어떤 점이 마음에 드셔서 결혼하셨어요?

② 자녀
- 자녀는 몇 명이고 아들, 딸은 어떻게 되세요?
- 첫 아이를 낳던 날 어떠셨어요?
- 큰 아이 결혼시키던 날 어떠셨어요?
- 사위(며느리)는 어떤 점이 마음에 드셨어요?
- 자녀들 이름은 누가 지었어요?

③ 집
- 첫 내 집 장만은 어디에서 하셨어요?
- 결혼 후 신혼집은 어디에서 얻으셨어요?
- 이사는 자주 다니셨어요? 어디로 다니셨어요?
- 가장 살기 좋았던 곳은 어디였어요?

④ 직장
- 첫 직장은 어디였어요?
- 어떻게 그 직장에서 일하게 되셨어요?
- 직장생활에서 재미있었던 일은 어떤 일일까요?
- 기억나는 직장 동료나 상사가 있으세요?

⑤ 학교

■ 어느 어느 학교를 다니셨어요?

■ 좋아하던 과목은 어떤 과목이었어요?

■ 좋아하던 선생님이 있었나요? 어떤 선생님이셨나요?

■ 가장 친했던 친구 이름이 어떻게 되세요?

■ 학창시절 기억나는 별명 있으세요?

■ 가장 기억나는 에피소드가 있으면 들려주세요.

(9) 노인 회상기능 척도지

문항	내 용	전혀 없다	가끔 있다	자주 있다	매우 자주 있다
		0	1	2	3
1	지금 내 문제를 해결하기 위해 되돌아보는 경우가				
2	과거 고생한 서러움이 복받쳐 올라와 옛 생각이나 이야기를 하는 경우가				
3	내가 어떤 사람인지 알기 위해 과거를 되돌아보는 경우가				
4	과거를 돌아보고 내일을 계획하기 위해 과거를 회상하는 경우가				
5	별일 없을 때 옛날 일을 생각하면 시간이 빨리 지나가기 때문에 옛날 생각을 하는 경우가				
6	옛날에 내가 했던 일을 자랑하기 위해 회상을 하는 경우가				
7	돌아가신 부모님이 그리워서 옛 생각을 하는 경우가				
8	놓쳐버린 인생의 기회가 너무 아쉬워 그 일을 회상하는 경우가				
9	인생의 의미를 알기 위해 '산다는 게 뭔가 하는 생각에' 회상을 하는 경우가				
10	옛날의 나와 지금의 나를 비교하기 위해 회상을 하는 경우가				
11	할 일이 없을 때 소일거리로 옛 생각을 하는 경우가				

문항	내 용	전혀 없다 0	가끔 있다 1	자주 있다 2	매우 자주 있다 3
12	울적한 마음을 달래기 위해서 회상을 하는 경우가				
13	옛날 일을 생각하면 마음에 위안이 되기 때문에 회상을 하는 경우가				
14	살아온 날을 돌아보며 내가 죽는다는 것이 담담하게 느껴지기 때문에 과거를 짚어 버리는 경우가				
15	동년배와 옛날 일들을 이야기하면 서로 더 편안하게 말을 할 수가 있기 때문에 회상을 하는 경우가				
16	바보처럼 희생한 날들이 억울해서 지나간 일들이 떠오르는 경우가				
17	요즘 젊은이들에게 우리가 살아 있던 그때 상황을 알려주기 위해 그 시절 이야기를 해주는 경우가				
18	지루한 시간을 보내려고 옛날 생각을 하는 경우가				
19	생의 마감을 두고 인생을 정리하기 위해 과거를 되돌아보는 경우가				
20	죽은 사람에 대한 기억을 잊지 않기 위해 회상을 하는 경우가				
21	내가 아는 것을 후손들에게 가르쳐주기 위해 옛 이야기를 하는 경우가				
22	옛날에 내가 큰 일을 잘 극복했던 시절을 생각하면 지금도 용기가 생기기 때문에 과거에 대해 생각하는 경우가				
23	언젠가는 나도 죽는다는 생각을 준비하기 위해 회상을 하는 경우가				
24	비슷한 연배의 사람을 만나 옛 이야기를 하면 말문이 쉽게 터지기 때문에 옛일들을 이야기하는 경우가				
25	내가 사랑하는 사람에 대한 기억을 간직하기 위해 옛일을 회상하는 경우가				
26	옛일을 이야기 하면서 서로 더 친한 느낌이 들어 회상하는 경우가				
27	자식들에게 내가 어떻게 살아 왔는지 알려주기 위해 회상하는 경우가				

출처 : 김영숙, 「사진을 활용한 집단 미술치료가 노인의 회상기능과 자아통합감에 미치는 영향」 노인 회상기능 척도지

■ 노인 회상기능 척도지 문항별 하위요인 결과

무료함 감소		자아탐색	전수	회환	대화	부재자 갈망	회피	죽음대비	문제해결
5		3	17	2	15	7	6	14	1
11		9	21	8	24	20	12	19	4
18		10	27	16	26	25	13	23	22
세로 항목 합계									

결과 해석 : 각 하위 요인의 점수가 높을수록 그에 해당하는 측정 내용의 정도가 높다는 것을
        의미한다.

5. 운동치료

　신체적인 활동들은 치매노인의 신체기능 유지를 위해 꼭 필요한 활동이며,
운동치료, 무용, 신체활동 등 다양한 방법으로 운영된다.

(1) 운동치료란

　운동치료는 운동을 통해 질병이나 상해로 인한 신경 및 근육의 비정상적인
기능을 정상인 상태로 회복시키거나 보다 나은 상태를 유지하기 위해 처방되는
활동이다.

(2) 운동치료의 효과

　노화가 진행되면 기억력, 집중력, 과제 처리 속도 등이 성인에 비해 낮아지지만

규칙적인 운동을 실시하면 인지기능 저하를 막아 치매예방이나 치매지연에 도움이 된다. 걷기 등 유산소 운동과 인지기능의 긍정적인 관계는 다양한 연구들에서 입증되었다. 꾸준히 걷기를 한 노인들은 걷기운동을 하지 않은 노인에 비해 인지기능이 감소할 가능성이 낮다는 연구결과에서 알 수 있듯 운동은 노인들의 건강한 삶을 위해 중요하다고 할 수 있다.

운동을 통한 긍정적인 효과는 다음과 같다.

■ 운동을 통해 유연성, 근력, 근지구력 등 신체수행능력이 향상된다.

■ 다양한 신체활동을 통해 표현력이 향상된다.

■ 규칙적인 활동으로 긴장과 불안감이 감소된다.

■ 인지기능이 향상된다.

■ 스트레스를 감소시킨다.

■ 비만, 골다공증, 변비 등을 예방할 수 있다.

■ 혈당조절과 콜레스테롤을 낮추는 효과가 있다.

■ 팔과 다리의 움직임을 통해 뇌를 활성화시킬 수 있다.

■ 다른 사람들과 신체접촉 기회를 가지게 되면서 친근감을 확인할 수 있다.

■ 주의집중력 향상에도 효과가 있다.

(3) 치매노인을 위한 운동 프로그램

게이트 운동	실버댄스	한국민속춤
건강 걷기	실버 포크댄스	수중재활 운동
실버 에어로빅	재활 마사지	우리 춤
재활 밸런스 운동	공 돌리기	태극권
노인 요가	장수춤 체조	노인건강체조
공받기	공치기	깡통볼링
벤치 축구	의자 체조	풍선배구
고리 던지기	표적 맞추기	컬링
정전기 놀이	낚시하기	빼빼로 게임
과자 따먹기	오자미 놀이	수건돌리기
안마하기	건강 장애물 경기	몸으로 표현하는 스피드게임

(4) 치매노인을 위한 신체활동 프로그램

뒤로 걷기	옆으로 걷기	팔자 돌며 걷기
일렬로 서기	일렬로 걷기	발가락으로 걷기
한발로 서기	발가락과 발꿈치로 뒤로 걷기	발꿈치로 걷기

(5) 노인을 위한 운동 프로그램시 유의사항

■ 운동 전 반드시 충분한 준비운동을 하도록 해야 한다.

■ 안전에 특히 유의하여 진행해야 하며, 새벽운동은 가급적 하지 않도록 한다.

■ 무리하게 진행해서는 안되며 갑작스런 현기증, 두통, 구토, 마비 증상이 나타나면 빨리 병원으로 가서 진찰을 받도록 해야 한다.

■ 모든 반응에는 격려와 보상을 하고, 실수하더라도 비난하지 않는다.

■ 소집단으로 함께 할 수 있는 활동을 고려한다.

■ 운동시 분위기에 맞는 음악을 튼다.

■ 치매 환자의 흥미를 끌기 위해 환자의 직업, 취미를 미리 파악한다.

■ 비슷한 능력의 구성원들로 그룹을 구성한다.

■ 환자의 생활리듬에 맞게 운동시간을 결정한다.

■ 신체질병이나 복용중인 약물이 있는 경우 운동량을 조절한다.

■ 피로감을 느끼고 있는지 주의 깊게 관찰한다.

■ 걷기, 댄스, 테니스 등 보호자와 환자가 함께 할 수 있는 운동도 알아본다.

■ 가능한 목표를 세우고 조금씩 양을 늘려 서서히 진행하도록 한다.

6. 미술치료

(1) 미술치료란

미술치료는 그림, 조소, 디자인, 서예, 공예 등 미술활동 참여를 통해 대상자를 치료하는 요법이다. 미술치료는 아름답고 보기 좋게 만들고 그리는 데 목적이 있는 것이 아니라 표현하고자 하는 것을 마음껏 표현하는데 의의가 있다. 즉 결과보다 과정의 태도가 중요하며, 외부세계가 아닌 자신의 내면을 이해하고 표현하고자 하는 활동이다.

(2) 미술치료의 효과

- 미술적 자극에 의해 우뇌를 효과적으로 자극한다.

- 색채의 자극은 시각을 통해 뇌에 영향을 준다.

- 자신의 태도, 느낌, 생각을 전달하는 자기표현의 수단이 된다. 자존감 저하와 불안, 좌절감을 맛본 치매노인은 언어적으로 자신을 표현하지 못하는 경우가 많은데, 미술은 비언어적으로 자신을 표현할 수 있는 역할을 한다.

- 연상 과정을 통해 내면의 세계를 인식하게 된다.

- 상상력을 자극하여 기분을 전환시킨다.

- 활동시 상호작용을 통해 개인의 경험도 공유하고 협동심, 공동체의식, 관계성, 의사소통능력을 향상시킬 수 있다.

- 작품 자체가 상징적인 의미를 가지므로 언어적 표현이 어려운 경우에도 자신을 표현할 수 있다.

- 긴장이완과 정서안정에 도움을 준다.

- 정신건강에 활력을 주고 무기력과 고립감을 감소시킨다.

- 회상 활동으로 기억력을 유지하는데 도움이 된다.

- 시공간능력과 인지기능 등을 향상시키는 수단이 된다.

(3) 치매노인을 위한 미술치료 효과

치매노인을 위한 미술치료는 인지기능 향상, 과거 회상, 취미와 여가활동으로 나누어 적용해볼 수 있다.

① 인지기능 향상

■ 미술의 시공간성은 치매노인의 시공간 개념을 회복하는데 효과적이다. 주로 도형이나 대칭, 구체적인 그림 그리기 등의 방법을 사용한다.

■ 과거, 현재의 기억을 되살리는 기회를 주어 장기기억 회상과 단기기억 유지에 도움이 된다.

■ 미술활동으로 주의집중력이 향상된다.

■ 색 인지 능력, 형태 감각이 향상된다.

■ 숫자, 날짜, 시간 등과 관련된 활동을 적용하면 지남력 향상에도 도움이 된다.

② 과거 회상에 적용

■ 과거의 사진, 옷 등을 사용하여 과거 자신과 관련된 기억을 회상시킨다.

■ 영화, 잡지 등을 활용하여 지나간 사건들과 경험들을 되돌아보게 한다.

■ 과거의 경험들을 공유하는 시간을 통해 소외감을 줄이고 현실의 불안과 우울감을 감소시킨다.

③ 여가활동에 적용

■ 치매노인이 즐겁게 여가시간을 보낼 수 있도록 다양한 경험을 제공한다. 이때 그리기, 만들기 등 매일 같은 방법의 프로그램이 반복되면 지루하게 느껴질 수 있으므로 주의한다.

■ 하루 20~30분씩 다양한 미술활동을 통해 여가를 유익하게 보낼 수 있다.

(4) 치매노인 미술치료 프로그램 기법

■ 그리기

자유롭게 그리기, 따라 그리기, 대칭 그리기, 양손으로 그리기

■ 그림 보고 그리기

치매환자에게는 잘 그려진 그림을 보고 그리게 하는 것이 도움이 되는데, 여러 그림을 보여주고 마음에 드는 그림을 선택하여 그리도록 한다. 그림을 빼거나 덧붙이는 것은 자유롭게 할 수 있도록 한다.

■ 그림 완성하기

일부분을 그려주고 나머지 부분을 그려넣어 완성하는 방법

■ 밑그림 그려주기

밑그림을 그려주고 색칠하거나 만들어보게 하는 방법

■ 주제화

특정 주제를 주고 그리게 하는 방법으로, 주제를 선택한 이유 등을 통해 환자의 자기탐색 기회와 감정 표현을 도모할 수 있다.

■ 협동화

집단이 함께 그림을 그리는 방법으로 작업시 상호작용을 통해 협동심, 의사 소통능력 등을 키울 수 있다.

■ 인물화

자화상 그리기, 가족 초상화 그리기 등을 통해 자아개념 확립 및 가족에 대한 지각이나 역할 관계 등을 파악할 수 있다.

■ 회상요법

■ 콜라주

신문, 헝겊, 인쇄물 등을 오려 붙이는 기법으로 환자의 자기개방을 촉진한다.

■ 만다라

치매환자의 집중력 향상과 심리적 안정, 긴장 완화 및 색채감각 활성화에 도움이
된다.

■ **점토나 찰흙을 활용하여 누르기, 만들기, 굴리기 등**

■ **데칼코마니**

물감이 만들어낸 우연한 결과물을 통해 내면세계를 표출한다.

■ **음식재료, 자연물을 활용한 작업**

■ **천을 활용한 만들기**

인형 옷 만들기, 인형 만들기, 동물인형 만들기 등

■ **핑거페인팅**

손가락을 이용하여 그림을 그리는 방법

■ **스폰지 페인팅, 물방울 페인팅**

■ **종이접기**

■ **색칠하기**

그림 색칠하기, 만다라 칠하기 등

(5) 치매노인 미술치료 프로그램 방법

야채 찍기	에그 아트	초상화 그리기
액자 만들기	서예 활동	모빌 만들기
클레이 꽃 만들기	비즈 공예	손 그리기
연 만들기	부채 만들기	스크래치 페이퍼
신문, 잡지 콜라주	풍선 얼굴 만들기	수수깡 만들기

종이 꽃 만들기	한지 공예	탈 만들기
골판지 공예	팔찌, 목걸이 만들기	딱지 만들기
병풍 만들기	복조리 만들기	달력 만들기
색 습자지 활용	도형 활용 그리기	주사위 만들기
대칭 그리기	반쪽 그리기	표지판 만들기
시계 만들기	데칼코마니	사포 그림

(6) 미술치료시 주의점

■ 환자에게 익숙한 주제를 선택하는 것이 좋다.

■ 주의집중 시간이 짧으므로 50분 이내에 마무리 할 수 있는 활동이 좋다.

■ 치매의 증상이나 진행정도에 따라 비슷한 수준으로 집단을 구성하여야 원활한 진행을 할 수 있고 효과를 거둘 수 있는 프로그램도 있다.

■ 작품의 예술성을 평가하는 것이 목적이 아니다.

■ 미술활동의 내용이나 과제는 단순한 것이 좋다.

■ 활동 내용이 주제를 벗어나거나 목표한 결과가 아니더라도 비난하지 않고 존중해준다.

■ 가위, 칼 등 위험한 도구나 물감 등 음용할 수 있는 위험재료는 관리를 철저히 하여 안전사고를 방지한다.

■ 활동에 대해 최대한 구체적이고 이해하기 쉽게 설명한다.

■ 중단하고 싶어 할 때는 언제든지 중단할 수 있게 해준다.

■ 작품에 관한 대화를 나눌 때 과거를 회상할 수 있는 기회를 주도록 한다.

■ 자발성을 존중하되 적당한 통제와 지지가 필요하다.

■ 작품에 대한 설명이나 소개시 재촉하거나 강요하지 말고, 대답 내용이 미흡해도 존중해준다.

■ 환자와 친화관계를 위해 시선맞춤, 신체 접촉 등 적절한 비언어적 소통을 함께 활용한다.

■ 활동 중에 느끼는 환자의 감정 변화를 주의 깊게 관찰하도록 한다.

7. 동물매개치료

(1) 동물매개치료란

동물매개치료란 살아 있고 감정이 있고 따뜻한 체온이 있는 동물과의 상호작용을 통해 마음이 아프거나 스트레스를 많이 받거나, 몸이 아프거나, 외롭고 힘든 사람들을 치유하는 심리치료의 한 분야이다. 최근 심리적 치유를 목적으로 하는 동물매개치료의 활용이 점차증가하고 있는데, 치매노인에게도 그 효과가 있음이 입증되고 있어 노인전문병원, 요양원, 정신병원 등에서도 활용이 늘어나는 추세이다.

일반적으로 노인이 되면 다른 사람들로부터 돌봄을 받아야 하는 일이 많아진다. 이런 의존적인 상황은 노인으로 하여금 자기가치 상실의 두려움을 느끼게 한다. 이러한 시기에 노인이 동물을 키우는 일은 자신이 다른 개체를 보살펴줄 수 있다는 느낌이 들게 하여 자기 가치의 유용함을 유지할 수 있게 해준다.

(2) 동물매개치료의 효과

■ 직접 살아있는 동물을 만져보거나 안아보는 등의 활동은 상호교감을 느끼게 하고, 동물을 보살핀다는 책임감을 주어 생명이 있는 동물을 소중히 여기게 할 수 있다. 또 동물과의 스킨십을 통해 느껴지는 따뜻한 체온은 치매노인에게 정을 느끼게 하고 심리적 안정감을 가지게 한다.

■ 우울감이나 스트레스를 해소시켜줄 수 있다.

■ 동물과 함께 지내면서 감정의 교류가 일어나고 기댈 수 있다는 느낌을

가지면서 외로움이나 고독감을 줄일 수 있다.

■ 동물은 사람의 성별이나 나이, 생활수준, 외모나 장애 등에 따라 대상을 비교하거나 비판, 차별하지 않는다. 따라서 대인관계에 어려움이 있거나 마음의 문을 열지 못하거나 사회적으로 소외된 계층의 사람들에게 따뜻한 역할을 할 수 있다.

■ 동물을 키웠던 경험이 있는 치매노인에게 치료동물과의 시간은 즐거웠던 추억을 회상하도록 자극하는 회상요법의 매개로 쓰일 수 있다.

■ 동물과의 상호작용은 치매노인의 감정조절 및 사회성 발달에도 도움이 된다. 동물과 접촉하는 프로그램을 거치도록 한 연구에서 치매노인들에게 미소 짓기, 웃기, 눈 마주치기, 기대기, 대화하기, 만지기 등의 행동이 증가한 것으로 나타났다.

■ 동물과 접촉하는 활동은 치매노인의 신체적인 재활을 촉진하기도 한다. 동물의 털을 빗겨주거나 옷을 입혀주거나 하는 행동들은 팔사용이 불편한 치매노인들에게 자연스러운 자극이 될 수 있다.

■ 애완동물이 주는 진정효과로 치매환자의 흥분 행동과 공격 행동 성향을 감소시킬 수 있다.

(3) 동물매개치료 방법

■ 접촉 : 동물 안아주기, 동물 쓰다듬기

■ 미용 : 동물 털 손질하기, 동물 단장해주기, 단장한 동물과 사진 찍기, 동물과 찍은 사진으로 액자꾸미기

■ 기억 및 회상 : 동물 이름 기억하기, 동물에 관한 일화 회상하기

■ 돌봄 : 동물 관찰하기, 동물에게 줄 간식 만들기, 간식 주기

■ 훈련 : 동물 훈련시키기, 훈련에 성공한 느낌 이야기하기

■ 감정 : 동물 감정 설명하기, 자신의 감정 말하기

■ 신체활동 : 동물 산책시키기, 동물과 함께 하는 게임

(4) 동물매개 치료시 주의 점

■ 동물을 선정할 때는 치매노인이 좋아하는 동물, 부정적 경험이 없는 동물을 알아보고 선정하도록 한다.

■ 동물이 공격적인 모습을 보이면 놀라게 되므로 충분히 훈련을 받은 동물어야 한다.

8. 스토리텔링 놀이치료

(1) 스토리텔링 놀이치료란

스토리텔링 놀이치료는 동화의 내용을 놀이치료로 접목하여 노인의 감성과 이성의 조화로운 표현을 향상시키는 치료방법이다. 노인에게 적용하면 등장인물과 자신을 동일시하면서 자신의 감정을 표현하고 과거의 일을 설명하면서 갈등을 해결해 나갈 수 있는 장점이 있다.

(2) 스토리텔링 놀이치료의 효과

① 상상력 향상

동화를 듣는 청자는 주인공과 자신을 동일시하며 상상의 세계에서 무한한 상상력을 펼칠 수 있다. 남녀노소 불문하고 동화의 문학적 상상력은 사람을 온순하게도 선하게도 용기 있게도 만드는 힘을 가지고 있다.

② 비판능력과 조화로운 대응 능력 향상

주인공이나 등장인물의 이야기를 듣고 잘잘못을 비판하고 분석할 수 있고, 나아가 자신의 삶을 되돌아볼 수 있는 기회를 가지게 된다. '나도 저렇게 해야지' '나는 저렇게 하지 않았을 텐데' 하는 등의 반성을 통해 상황에 대처하는 인물들을 분석하고 비판함으로써 문제해결 능력도 키울 수 있다. 또 보다 나은 삶을 위해 타인을 어떻게 이해하고 대응할지에 대한 능력과 갈등 해결력도 향상시킬 수 있다.

③ 자존감 향상

글쓰기, 동극 등에 참여함으로써 미처 깨닫지 못했던 자신만의 능력을 깨닫게 되면서 자존감이 향상될 수 있다.

④ 긍정적 사고

동화는 노인의 무의식과 의식에 작용하여 존재의 불안을 치유하는 역할을 한다. 힘든 감정이 있을 때 동화를 통해 감정을 정리하는데 도움을 줄 수 있고, 스스로의 감정에 대해 생각해볼 수 있는 시간을 제공한다.

⑤ 개방적 사고

등장인물이 사람, 식물, 동물, 무생물 등 다양하기 때문에 자연과 환경에 대해 개방적 사고를 가지게 된다.

⑥ 기억력 회복

문학 속에 나오는 인물, 사건, 배경은 과거로의 회상에 도움이 되고 기억력 회복에 도움이 된다.

⑦ 공동체의식 향상

집단 활동을 통해 협동심과 공동체 의식을 키울 수 있다.

⑧ 언어습득능력 향상

스토리텔링은 말하기, 읽기, 듣기, 쓰기가 병행되므로 언어능력 향상에 영향을 미치며, 발표력과 표현력을 키워준다. 스토리텔링시 노인에게 들려주는 말은 긍정적인 말, 감사함이 담긴 말, 바르고 고운 말을 들려주는 것이 좋다.

(3) 스토리텔링 놀이치료 프로그램

① 스토리텔링 소재가 되는 전래동화

은혜 갚은 꿩 · 금도끼 은도끼 · 토끼와 거북 · 장화홍련 · 콩쥐팥쥐
지네와 두꺼비 · 흥부놀부 · 우렁이 각시 · 혹부리 영감 · 견우와 직녀
젊어지는 샘물 · 도깨비 방망이 · 삼년고개 · 토끼와 호랑이 · 청개구리
해와 달 · 선녀와 나무꾼 · 지네 처녀 · 망부석 재판 · 신비한 맷돌 ·
소가 된 게으름뱅이 · 호랑이 잡은 피리

② 스토리텔링 놀이치료에 접목할 활동

만들기, 색종이 붙이기, 노래 부르기, 지점토 만들기, 토론, 현장체험, 종이접기,
율동하기, 말풍선 채우기, 동시낭독, 동시 암송, 사다리타기, NIE, 요가, 색칠하기,
음악 감상, 물감 찍기, 역할극, 말놀이, 요리하기, 전래놀이, 사진 회상활동, 크로스퍼즐,
끝말잇기 등 언어놀이

③ 치매환자를 위한 스토리텔링 프로그램

동화책 읽어주기	고전 읽어주기	오디오 책 들려주기
신문 읽어주기	옛날이야기 그리기	시 낭송
단어로 문장 만들기	문장 줄이기	명언 읽어주기
재미있는 이야기하기	시 암송	종교 경전 읽어주기

9. 향기치료

(1) 향기치료란

향기치료란 건강에 도움이 되는 향이 나는 식물의 꽃, 잎, 줄기, 열매, 뿌리 등에서 추출한 오일과 향으로 심신의 건강을 증진시키는 요법이다. 흡입, 마사지, 목욕 등 다양한 방법을 통해 오일을 치료에 적용할 수 있다. 유럽, 미국에서는 오일의 향으로 치매 증상을 완화시키려는 연구가 활발히 진행되고 있다.

(2) 향기치료의 효과

향기치료는 정신적, 신체적, 환경 등 많은 요소에 종합적으로 적용하므로 전인요법이라 불린다. 향기치료는 경증도 치매에서 중증치매에 이르기까지 치매노인의 정서, 언어적 폭력 진정, 불안감, 우울감, 스트레스, 초조행동, 배회행동, 수면 장애, 인지기능 등에 다양한 효과가 있다고 알려져 있다.

- 스트레스와 긴장을 감소시킨다.

- 심장박동, 호흡률을 완화시켜 근육의 이완을 돕는다.

- 불안, 흥분, 걱정, 불면에 도움이 된다.

- 근육통증, 소화불량, 변비, 기침, 등 신체기능의 회복을 도와준다.

- 피부를 통해 흡수되면 모세혈관을 따라 몸을 순환하며 효능을 발휘한다.

- 향기가 주는 자극은 감정을 관장하는 변연계를 변화시켜 기분을 좋게 만든다.

- 변연계는 학습기능도 관장하므로 아로마요법은 기억력과 집중력에 효과를 나타낸다.

- 공기청정과 방향효과는 노인시설 특유의 냄새를 제거하는데도 효과가 있다.

(3) 향기치료 오일 사용방법

향기치료에 사용되는 오일은 에센셜 오일, 캐리어오일, 시너지 오일이 있다. 에센셜 오일은 고농축 100% 순수 천연 오일로 식물의 꽃이나 잎, 열매, 줄기, 뿌리, 과실 등에서 추출해낸다. 캐리어 오일은 에센셜 오일의 흡수력을 높이기 위해 희석할 때 사용하는 오일이다. 시너지 오일은 에센셜 오일을 2개 이상 섞어 다른 향과 효과를 만들어 낸 오일이다.

에센셜 오일은 표기된 숫자가 높을수록 강한 향이다. 희석하여 사용할 때는 1~5% 정도 비율로 희석해서 사용한다. 열이나 염증, 혈전, 천식, 고혈압, 암, 간질, 심장병, 전염병, 수술 환자, 임산부의 경우는 전문가와 상담 없이 향기치료를 실시하지 않도록 한다.

(4) 향기치료 종류

향기치료 종류는 흡입법, 증기 흡입법, 목욕법, 마사지법, 습포법, 방향법 등이 있다.

① 흡입법

흡입법은 후각을 통해 직접 흡입하므로 빠른 시간에 효과를 볼 수 있는 방법이다. 아로마 오일 원액을 옷깃이나 배게, 수건, 티슈 등에 1~2방울 떨어뜨려 흡입하는 방법으로 간편하게 사용할 수 있다. 흡입법은 호흡기 질환, 수면 장애, 집중력 향상, 불안과 스트레스 완화에 도움이 된다. 치매노인의 베개에 라벤더 오일 두고 아로마 향을 맡으며 취침하도록 적용한 연구에서는 치매노인의 초조행동, 배회행동, 밤 시간의 행동에서 성과를 보였다는 결과가 있다.

② 증기흡입법

증기흡입법이란 아로마 오일을 수증기와 함께 흡입하는 방법으로, 아로마 원액을 뜨거운 물에 넣어 20~30cm 거리에서 향을 마시게 하면 된다.

③ 목욕법

목욕법은 욕조에 물을 받아놓고 에센셜 오일을 10방울 내외 떨어뜨린 후 몸을 담그는 방법이다. 보통 에션셜 오일을 캐리어 오일에 2% 희석한 오일로 사용하며, 피부상태 개선, 노폐물 제거, 피로회복, 불면 등을 개선하는데 도움이 된다.

④ 마사지법

마사지법은 부드러운 마사지로 몸의 치유와 정서 안정에 도움이 되는 방법으로 향을 캐리어오일에 희석하여 사용한다. 치매노인에게 아로마 마사지 요법을 적용한 연구를 보면, 아로마 마사지 요법은 치매노인의 긴장, 불안, 스트레스 해소, 초조행동에 효과가 있는 것으로 나타났다.

⑤ 습포법

습포법은 세면대 등에 오일을 5방울 정도 떨어뜨린 후 수건이나 거즈 등에 적셔서 짜낸 뒤 환부에 대는 방법이다. 습포법은 근육통이나 멍든 곳, 피로회복, 혈액순환 개선, 염증 치료, 통증 완화에 도움을 준다.

⑥ 방향법

방향법은 향기 오일을 공기에 방향 시켜 흡입하는 방법으로 가장 일반적인 방법이다. 컵이나 용기에 뜨거운 물을 받아 향기오일을 1~2방울 떨어뜨려 향이 나게 하거나, 향초나 포푸리에 향을 떨어뜨리는 방법, 분사기로 분사하는 방법 등이 있다.

(5) 증상별 추천 아로마 종류

증상	아로마 종류
우울	라벤더, 로즈마리, 케모마일, 레몬, 프랑켄센스, 마조람, 샌달우드, 진저, 클라리세이지
불안	라벤더, 버가못, 프랑켄센스
수면 장애	클라리세이지, 제라니움, 카모마일로만, 샌달우드, 마조람, 라벤더
스트레스	클라리세이지, 제라니움, 로즈, 카모마일로만, 마조람, 라벤더

통증	클라리세이지, 마조람, 진저, 라벤더, 바질, 로즈마리, 로즈, 페퍼민트, 일랑일랑, 유칼립투스
기억력 자극	라벤더

(6) 치매환자에게 도움이 되는 향과 효과

종류	효과
갈릭	동맥경화, 저혈압
그레이프 후루츠	스트레스, 우울증, 신경쇠약, 감염억제
네롤리	불면증, 스트레스, 공포감, 우울증
라벤더	불면증, 우울증, 불안, 긴장, 스트레스, 기억력
라임	피로회복, 기분전환, 감기증상 완화
레몬	집중력, 자신감, 기분 전환, 면역력, 고혈압, 두통, 코막힘
로즈	긴장 완화, 스트레스, 혈액순환 촉진
로즈마리	기억력, 집중력, 신경증 완화, 기분 전환, 원기 회복
로즈우드	정신피로, 스트레스, 기분 전환, 피부 염증 완화
마조람	불면증, 고혈압, 진정
만다린	스트레스, 심신 안정, 기분 전환
멜리사	우울증, 정서 안정
바실	집중력, 정신 집중
발레리안	정서 안정, 공포감 완화
버가못	우울증, 불안, 긴장, 이완
사이프러스	분노, 비애감, 불면, 집중력
시나몬	무기력 완화, 우울증
시더우드	신경계 조직 강화, 진정, 조화

종류	효과
오렌지	불면증, 기분 전환
유칼립투스	무기력, 무감동, 집중력, 기억력
유향	정서 안정, 집착 완화
자스민	우울증, 무기력, 긴장감 완화, 행복감
제라늄	불면증, 분노감, 우울증, 부정적 기분
쥬니퍼	부기 해소
진저	기억력, 신경증
파인	혈액순환
페퍼민트	집중력, 피로, 숙취, 안정과 이완
프티그레인	긴장, 불면증, 스트레스
카모마일	불안, 긴장, 근심, 분노, 우울증
클라리세이지	우울증, 공포증, 스트레스, 혈압, 집중력
클로브버드	기억력, 적극적 사고
콘트로넬라	긴장, 스트레스, 행복감, 정신 안정

10. 사진치료

(1) 사진치료란

사진치료는 전문적인 심리치료자가 내담자를 치료하는 데 사진촬영이나 사진 창작활동 등을 시행함으로써 심리적인 장애를 경감시키고, 내담자의 생각과 행동에 긍정적인 변화를 추구하며 심리적 성장을 하도록 하는 요법이다. 이러한 사진치료는 시각적 매체를 이용하여 과거를 돌아보게 함으로써 기억을 회상시켜 기억력을 증진시키는데 도움이 된다.

(2) 사진치료의 특징

■ 사진이라는 매체는 기록성, 전달성을 가지며 사실성의 속성을 가진 매체이므로 인간에게 신뢰감을 형성하고 신빙성을 준다.

■ 사진은 기억을 재생시키므로 심리적 치료 효과를 기대할 수 있다.

■ 사진은 개인 사진, 잡지, 광고사진 등 주변에서 쉽게 접할 수 있는 매체이므로 친숙하게 느껴진다.

■ 미술은 창작의 두려움이 따르지만 사진치료는 창작의 두려움이 필요 없다.

(3) 사진치료의 효과

■ 사진은 기억을 회상하게 하고 시각적 사고를 유발하므로 치매노인의 심리상태를 진단할 수 있다.

■ 사진을 찍는 활동은 기계를 다루는 활동으로 새로운 지식의 습득과 활용은 치매노인의 자아성취감 증진에 도움을 준다.

■ 사진 촬영을 통해 치매노인의 시선이 외부로 향할 수 있는 기회가 된다.

■ 과거의 사진을 보면서 사진에는 찍혀져 있지 않은 환경과 사건을 기억할 수 있다. 사진에는 정지된 한 순간만이 담겨있지만 그 순간의 앞뒤 상황을 연상함으로써 기억의 재생이 일어나게 되는 것이다.

■ 과거 사진을 보며 과거를 통해 현실을 깨닫고 아픔을 잊게 할 수 있다.

■ 치매노인의 기억력 회상에 사진을 활용하면 심리치료에 있어서 어려움을 감소시킬 수 있다.

■ 과거에서 현재로, 현재에서 미래까지 이어지는 역사적인 시간을 느끼게 해 줄 수 있다.

■ 언어사용이 불가능한 치매노인이라도 사진을 보며 감정을 표현하는 것은 말로

표현하는 것보다 편안하게 느껴질 수 있다.

■ 치매로 인해 기억력 장애가 생기더라도 어린 시절의 기억은 좀처럼 없어지지
  않고 잘 보존되어 있는 편이다. 과거 사진을 통해 과거 기억을 떠올리면
  행복감과 긍정적 정서를 경험할 수 있다.

■ 사진을 보고 과거를 되돌아보고 재구성해보는 회고과정을 통해 인생의
  만족감을 높일 수 있고, 자아정체감을 확인하고 개인적 상실을 극복하는 등
  정서적 성장에 도움을 준다.

(4) 사진치료 기법

· 투사과정
· 독사진을 이용하는 방법(내담자가 자아상을 찍은 사진)
· 타인이 내담자를 찍은 사진
· 직접 찍고 수집한 사진을 이용하는 방법
· 가족 앨범이나 성장 사진을 이용하는 방법

사진치료 기법은 사진을 찍는 과정, 보는 과정을 포함 내담자가 직접 참여하는
능동적인 활동 전체를 포함한다. 사진치료의 방법에는 다음과 같은 방법이 있다.

① 투사과정

사진치료에서는 사진이나 사물, 사람들을 볼 때 반응하여 나타나는 투사과정을
감정적 반응들로 이끌어낸다. 어떤 종류의 사진이라도 사용될 수 있으며 치매노인의
개인적인 사진이나 달력, 엽서 등 다른 사진들도 사용될 수 있다. 상담자는
치매노인과 함께 사진을 볼 때, "무엇"을 찍었는지 보다 "왜, "어떻게" 찍었는지를
물어보아야 한다. 직접 사진을 보고 투사과정을 거쳐 하는 모든 대답은 틀릴 확률이
적은 특징이 있다. 또 대답을 통해 가치 체계를 알 수 있고, 치매노인의 자기인식과
자아정체성을 확립하는데 도움이 된다.

② 독사진을 이용하는 방법 (내담자가 자아상을 찍은 사진)

독사진은 다른 사람에게 영향 받지 않은 결과물이며, 자신만을 드러낼 수 있는 사진이므로 발상에서부터 마무리까지 이미지 관리에 관한 모든 것을 조절할 수 있다. 독사진은 외부적 대상으로써 즉, 하나의 별개 사람으로써 타인의 관점으로 자기 자신을 바라볼 수 있게 해준다. 이러한 독사진을 이용한 사진 치료를 통해 자신을 정확히 바라볼 수 있고 자기 내면의 부정적인 면을 접할 수 있다. 또 내담자의 한계가 무엇인지 자세히 살펴 볼 수 있으며 자아 개념과 자기 강화의 매개가 될 수 있다.

③ 타인이 찍은 내담자의 사진을 이용하는 방법

타인이 찍은 사진을 통해 우리는 다른 사람이 자신을 어떻게 인식하는지에 관해 알 수 있다. 또 자신에게 가장 중요한 것 또는 중요하게 생각해야 하는 것과 다른 사람이 생각하는 바를 비교할 수 있다. 사진을 찍을 때 취하는 포즈는 사진을 찍는 대상에게 자신이 포즈를 취하는 습성을 보여준다. 만약 사진을 무의식적으로 찍히게 되면 지금까지 볼 수 없었던 자기의 모습을 발견할 수 있게 된다. 또 사진은 가끔 찍는 사람과 찍히는 사람의 관계에서 힘의 논리를 찾아볼 수 있는 유용한 도구가 되기도 한다.

④ 직접 찍고 수집한 사진을 이용하는 방법

사람이 사진을 찍을 결정을 하는 데는 목표, 희망, 원하는 결과 그리고 개인의 기준을 충족하기 위한 다양한 것들이 개인의 사진 촬영 의사 결정에 영향을 준다. 만약 사진 결과물이 의도대로 되지 않는 경우에도 원래 의도했던 성공적이라는 것이 무엇인지, 무엇이 잘못되었다고 생각하는지 등에 대한 생각을 이끌어냄으로써 유의미한 상담에 활용할 수 있다.

⑤ 가족 앨범이나 성장사진을 이용하는 방법

가족사진을 이용한 사진치료 기법은 내담자의 가족 내 뿌리와 환경, 연관된 관계, 여러 세대를 걸쳐 내려온 메시지와 기대치를 통해 형성된 내담자의 지위와 맡은 역할을 알 수 있다. 가족사진에는 보통 지나가는 일상생활에서 선택된 어떤 순간을 재빠르게 찍은 사진들로 채워져 있다. 그러한 사진을 통해 지난 생활은 어떠했는지에 관한 상담이 가능해진다.

가족사진은 가족에게 의미가 있었던 순간을 기록하고 있는 가족사이므로 앨범을 만드는 사람에게 의미 없는 사진들은 찾아볼 수 없다. 가족 앨범에는 일반적으로 영원히 보관해도 충분할 정도의 의미를 가진 사람과 애완동물, 장소를 찍은 사진이 들어 있다. 잘 모르는 사람이나 싫어하는 사람의 사진은 포함되지 않는다. 가족 앨범을 만드는 사람이 자신이 싫어하는 사람의 사진을 앨범 속에 넣어 보관하는 경우는 매우 드문 일이기 때문이다. 사람들은 자신에게 강렬한 의미를 지닌 사진을 보관하게 되는데, 이런 사진에는 사람이나 장소, 강한 느낌을 주었던 때의 모습 등이 포함된다.

11. 스노즐렌 (다감각환경 다감각치료)

(1) 다감각환경 다감각치료란

다감각 치료란 다감각 자극이라고도 하며 시각, 청각, 후각, 미각 등 다양한 감각을 경험할 수 있도록 하는 환경적 접근법이다. 다감각환경은 환경에 변화를 주어 다양한 조명, 음악, 향, 촉각을 자극하는 사물들이 설치되어 있는 방 안에서 시각, 후각, 청각, 촉각을 자극시키고 자유롭게 감각을 받아들이도록 하는 방법이다. 최근 미국이나 유럽 등 다양한 나라에게 치매노인을 대상으로 한 다감각 자극치료가 부각되고 있다.

(2) 다감각치료의 효과

■ 심리적 이완으로 인한 진정효과로 동요행동, 문제행동을 감소시킨다.

■ 생활만족도를 증가시키고 일상생활에 필요한 기능을 유지하게 한다.

■ 초조, 불안감, 무감동, 과민, 불안감과 적대감 등 부정적 감정을 감소시킨다.

■ 지적활동을 요구하지 않으므로 실패에 대해 자유롭고 개방적이다.

(3) 다감각치료 방법

① 감각의 제공방법

■ 자유로운 감각의 제공

- 시각, 촉각, 청각, 후각을 자극하는 불빛, 음악, 향, 촉각자극 사물들이 설치되어 있는 방에서 자유롭게 환자가 감각을 받아들이도록 한다.
- 동반자는 초기에 자극선택을 돕고 뒤에서 관찰할 뿐, 문제 상황을 제외하고는 개입하지 않는다.

■ 의도적인 감각의 제공

- 자유로운 제공과 달리 치료적 개입이 이루어지는 방법이다.
- 새로운 자극을 제공하고 느낌을 깊이 생각해보도록 유도한다.
- 동반자는 방해요인을 곧바로 개입하여 조절할 수 있다.

② 감각별 자극방법

목표 자극	방법
신체 자극	쓰다듬기, 마사지, 다양한 물건들을 활용하여 자극하기 손마사지, 발마사지
운동감각	눕기, 앉기, 돌기, 뒹굴기, 마사지하기, 누르기
만남과 접촉	만지기, 이끌기, 따르기, 정서적 관심 가지기, 얼굴표정 짓기, 몸짓과 언어의 적절한 표현
시각	색 구별, 비교, 분류, 명암 구별, 원근 인식

청각	멜로디 구별, 음의 크기 구별, 음의 높낮이 구별 효과음 맞추기, 청각 신호 따라가기, 음색 구분하기
후각	향 구별, 향 비교, 냄새 맞추기, 향을 내는 재료 탐색
미각	맛 비교, 맛 분류, 맛 선호, 차 맛보기
창의성	이야기 만들기, 이야기하기, 그림으로 그리기, 노래하고 춤추기, 글쓰기, 연극하기, 역할극 하기, 판토마임, 음악으로 표현하기, 글 로 쓰기
집중력	집중하여 자신의 신체와 움직임 조절하기, 다양한 감각에 대한 신 호를 바라보고 고정하기
조용함과 이완	조용한 맥박, 모든 것을 차단하기, 만지기, 쓰다듬기, 호흡, 마사지, 근육풀기, 손에서 놓기

③ 사용되는 도구

치매노인에게 시각, 청각, 촉각, 청각 등 다양한 영역에서 다양한 도구로 감각을 제공한다.

감각	도구
시각	모빌, 낱말카드, 스케치북, 크레용, 다양한 주제의 사진 반짝이등, 조명, 광섬유, 만다라, 거울
촉각	양 인형, 동물인형, 촉각기둥, 다양한 소재의 천, 물침대, 흔들의자, 그네
미각	사탕, 과일, 다양한 맛의 과자
후각	다양한 아로마향, 다양한 과일향
청각	오디오, CD

(4) 다감각환경 프로그램 진행시 주의점

■ 다감각환경 프로그램 진행시에는 빛이나 소리, 냄새, 촉각을 자극할 수 있는 도구와 공간이 반드시 필요하다.

■ 이완과 신뢰를 할 수 있는 분위기 조성이 필수적이다.

■ 환자가 원하는 다양한 감각을 존중하는 환자중심 분위기로 조성해야 한다.

■ 환자의 정서적 안정과 직접 참여를 촉진하도록 한다.

12. 인지치료

(1) 인지치료란

인지치료란 인지손상을 줄이고 관리하여 인지능력을 향상시키는 재학습 과정을 말한다. 인지기능이란 기억력, 언어능력, 시공간력, 판단력, 추상적 사고력 등 다양한 두뇌의 능력을 가리키는 것으로 치매에 걸리면 인지기능이 지속적, 전반적으로 저하되어 일상생활에 장애가 나타나는 상태가 된다. 인지 기능 회복을 위해 인지치료 활동을 진행하면 두뇌의 지적 기능이 활성화되고 치매노인은 성취감, 만족감, 열정, 즐거움 등을 경험할 수 있다.

(2) 인지치료의 효과

■ 기억력과 집중력을 향상시켜준다.

■ 환자의 잔존 인지기능을 유지시켜주는데 도움을 준다.

■ 게임, 운동 등의 활동은 근육과 정신을 함께 사용함으로써 정신적 퇴행을 막아준다.

■ 에너지를 건전하고 긍정적인 방향으로 전환시켜 준다.

■ 건강한 자기표현을 할 수 있는 기회를 주어 자존감과 자기가치를 향상시킨다.

■ 대인관계와 의사소통 기술의 향상 등 사회성을 증진시킨다.

(3) 인지치료의 종류

인지치료 훈련의 방법으로는 기억력, 지남력, 집중력, 계산력, 언어능력, 판단력 활동 등이 있다.

① 기억력 활동

기억력 활동은 다양한 시각, 청각 자료를 활용하여 인식기능과 주의력을 향상시키고 특히 과거의 기억을 재생함으로써 과거 회상 능력을 고취한다. 기억력을 증진시키는 프로그램의 예로는 달라진 그림 찾기, 회상카드 활용하기, 과거영상 시청각 교육, 회상훈련, 기억력 보드게임, 단어 암기하기, 앞에 나온 단어 찾기 등이 있다.

② 지남력 활동

지남력이란 시간, 장소, 사람을 인식하는 능력을 말한다. 일반적으로 지남력 상실 순서는 시간으로 시작하여 공간으로 확장되고, 마지막으로 사람을 알아보지 못하는 단계에 이르게 된다. 지남력을 높이는 활동으로는 달력 만들기, 가족 얼굴 만들기, 퍼즐 맞추기, 시계 그리기, 일기 쓰기, 시간 기억하기 등이 있다.

③ 집중력 활동

집중력을 증대시킬 수 있는 프로그램으로는 동일한 모양 찾아 그리기, 미로 찾기, 석고 본뜨기, 컵 쌓기, 컬러비즈, 퍼즐, 콩 고르기, 도미노, 다른 그림 찾기, 같은 모양 찾기 등 다양하다.

④ 시공간력 활동

치매에 걸리면 시공간 파악능력이 저하되므로 시공간력을 키우기 위한 다양한 활동들을 하는 것이 필요하다. 대칭 모양 그리기, 선 연결하기, 같은 모양 그리기, 회전하면 같은 모양 찾기 등이 시공간력을 높이는 활동에 해당된다.

⑤ 언어능력 활동

언어 능력을 향상시키는 활동으로는 끝말잇기, 단어 떠올리기, 같은 음으로 시작하는 단어 찾기, NIE 활동 등이 있다.

(4) 인지치료시 주의점

■ 노인 스스로 할 수 있도록 배려한다.

■ 단순한 놀이 프로그램으로만 진행되지 않도록 한다.

■ 잘 수행할 때는 언어적 칭찬이나 선물 등을 주는 것이 좋다.

■ 프로그램 진행시 소수의 환자에게만 치중되어 진행되지 않도록 한다.

13. 독서치료

(1) 독서치료란

독서치료란 자기계발 목적이나 질환의 증상에 적합한 책을 선택하여 읽도록 하고 그 결과에 대해 의견을 교환함으로써 개인의 성장이나 재활을 돕는 방법이다. 즉 환자를 치료하기 위해 약을 처방하듯 정신적 문제를 가지고 있는 환자에게 지정된 도서를 처방함으로써 환자의 감정과 행동을 변화시켜 치료를 돕는 방법이다.

(2) 독서치료의 효과

■ 문제가 되는 현실에서 벗어나 상처를 극복할 수 있는 방법을 발견할 수 있다.

■ 독서를 통해 새로운 인생을 경험할 수 있다.

■ 자신과 자신의 행동에 대한 이해를 증진시켜 대인관계를 명료하게 해준다.

■ 현실을 보는 견해를 넓혀준다.

■ 자아존중감을 향상시키고, 심리적 안정을 도모해준다.

■ 치매노인의 감정을 자유롭게 표현할 수 있도록 기회를 줄 수 있다.

■ 자신과 환경, 미래에 대한 부정적 감정을 긍정적으로 바꿀 수 있다.

■ 정서적 갈등과 우울감을 해소하여 정신적으로 건강한 생활을 영위할 수 있다.

(3) 독서자료 선택

① 내용적인 면

■ 노인이 이해하기 쉬운 주제여야 한다.

■ 치매노인의 장기 기억 속에 남아 있는 잘 알고 있는 내용이 좋다.

■ 치매노인의 상황과 잘 맞는 주인공이 나오는 책은 자신의 모습을 발견하게 하고 깊이 있는 대화를 가능하게 한다.

■ 과거 해결하지 못한 문제나 욕구 등이 나온 주제를 접하게 되면 이야기를 잘 털어놓게 되며, 이런 과정을 통해 정서적 안정을 도모할 수 있다.

■ 세시풍속, 전통놀이, 명절 등 전통문화를 담은 이야기는 노인의 회상을 도와준다.

■ 옛이야기는 우리나라의 역사와 노인의 역사가 함께 담겨있어 기억력 회복에 도움을 준다.

■ 계절, 시간, 12간지 등의 내용을 담고 있는 도서는 지남력 향상에 도움을 줄 수 있다.

② 형식적인 면

■ 글씨가 크고 선명한 책을 고르도록 한다.

■ 따뜻하고 밝은 그림이나 분위기는 안정감을 준다.

■ 그림이 어린이용 책의 느낌보다는 사실적인 느낌의 그림이 좋다.

■ 크기는 큰 책이 보기 쉽다.

(4) 독서치료 활동

책을 읽어준 뒤 노래, 만들기, 그림그리기, 편지쓰기, 역할놀이 등 활동을 실시하면 독서요법의 효과가 더 높아진다.

① 독서치료 그림책 예시

막걸리 심부름(이춘희) · 고무신 기차(박지훈) · 자린고비(정하섭) · 강아지똥(권정생) · 솔이의 추석 이야기(이억배) · 똥떡(이춘희) · 손 큰 할머니의 만두 만들기(채인선) · 숨쉬는 항아리(정병락) · 십장생을 찾아서(최향랑) · 시장나들이(정승모) · 심심해서 그랬어(윤구병) · 아씨방 일곱동무(이경영) · 열 두 띠 이야기(정하섭) · 우리 누나 시집가던 날(김해원) · 쪽빛을 찾아서(권종택) · 할머니의 농사일기(이재호) · 세상에서 제일 힘 센 수탉(이호백) · 신기한 독(홍영우) · 가을이네 장 담그기(이규희) · 모기와 황소(현동염) · 그림 그리는 아이 김홍도(정하섭) · 숨바꼭질(김정선)

② 독서치료 활동 예시

제목 (저자)	활동 주제	활동 내용
우리 순이 어디 가니 (윤구병)	어린 시절 추억 고향의 추억	·고향에 대한 추억 이야기 ·어릴 적 놀이나 친구 이야기 · '고향의 봄' 노래 부르기 ·색종이로 꽃 접기
열 두 띠 이야기 (정하섭)	자신의 띠 주변 사람의 띠	·자신의 띠와 가족의 띠 이야기 ·열두 띠 종류 이야기하기 ·띠별 생각하는 성격 특성 ·열두 동물 울음소리 내기 ·열두 동물 색칠하기

		·똥 떡을 먹어본 경험
똥 떡 (이춘희, 박지훈)	똥 떡에 관련된 일화 전통 화장실 문화	·제일 좋아하는 떡 이야기 ·재래식 화장실에 관련된 경험 ·색깔 떡 만들기 ·떡 이름 맞히기 게임
아씨방 일곱 동무 (이경영)	가까운 이웃	·바느질 한 경험 이야기 ·제일 좋아하는 색감 ·다른 사람의 재능 칭찬하기 ·복주머니 바느질하기
숨쉬는 항아리 (정병락)	항아리와 관련된 추억	·항아리와 관련된 경험 이야기 ·된장 고추장 담그는 법 ·된장, 김치 담그기 ·찰흙으로 항아리 만들기

14. 인정치료

(1) 인정치료란

인정치료(Validation Therapy)는 미국의 사회복지사였던 나오미 페일(Naomi Feil)이 치매환자에게 그들의 지각을 수정하기보다 그들의 감정을 인정해주었을 때 긍정적인 효과가 나타난다는 사실을 발견하고 개발한 요법이다. 치매로 인지 기능이 저하된 환자의 말과 행동이 비록 정돈되어 있지 않더라도 그 감정과 표현을 의미 있게 받아들이고, 감정을 잘 표현하도록 도와주는 것이 인정치료자의 역할이다. 즉 인정치료는 원활한 대화가 어렵고 문제 행동을 일으키는 치매 노인들에게 그들의 행동이나 말에도 근거가 있다고 인정함으로써 치매노인의 존엄성을 유지시켜주는 방법이라 할 수 있다.

(2) 인정치료의 기본 원리

페일은 다음과 같이 13가지 인정치료의 기본원리를 제시하였다.

① 무비판적으로 의뢰인을 수용해야 한다.

② 의뢰인이 변화할 마음의 준비가 안 되어 있을 때 의뢰인의 행동변화를 강제해서는 안 된다.

③ 의뢰인은 각자 고유한 존재이다.

④ 상담자가 의뢰인의 감정표현에 적극적으로 공감하면 감정이 순화되지만, 무시나 거부를 당하면 감정이 훨씬 더 격해지게 된다.

⑤ 인생의 단계마다 고유한 발달과업이 존재하며, 발달 과업을 성취하기 위해 최선의 노력을 해야만 다음단계로 갈 수 있다.

⑥ 앞 단계의 발달과업이 미해결 상태일 때는 후기 단계에서 재수행되도록 요구된다.

⑦ 향상성 이론처럼 인간은 균형을 유지하고자 노력한다.

⑧ 노인들은 최근 기억은 잘 생각나지 않으며, 어릴 때 기억을 되살려 균형을 회복하려고 한다.

⑨ 어릴 때 제대로 형성된 기억은 나이가 들어도 생생하게 기억에 남는다.

⑩ 노인의 행동은 생활주기에서 발생하는 사회적, 신체적, 정신적 변화의 결합체이다.

⑪ 치매노인의 부검에서는 뇌의 손상에도 불구하고 지남력은 여전히 남아 있음을 보여준다.

⑫ 지남력 장애를 가진 노인 행동의 이면에는 나름 이유가 존재한다.

⑬ 장애와 상관없이 인간은 누구나 가치 있는 존재이다.

(3) 인정치료의 효과

■ 자존감 회복에 도움이 된다.

■ 의사소통과 상호작용 증진에 도움이 된다.

■ 스트레스를 감소시킨다.

- 불안감을 완화시킨다.
- 미완성된 인생의 과업을 해결하도록 도와준다.
- 외부 세계로부터 도망가려는 마음 상태를 줄여준다.

(4) 인정치료 기법

① 눈을 마주치며 시선을 주고받는다. 치료자의 따뜻한 시선접촉은 치매노인이 여전히 사랑받고 있다는 느낌을 받게 한다.

② 따뜻한 말투와 사랑스러운 목소리로 말한다. 거친 말투는 치매노인을 위축되게 하거나 화를 내게 만들 수 있기 때문에 침착하고 분명한 말투를 사용하도록 한다.

③ 손을 잡거나 어깨를 감싸는 등 신체 접촉을 활용한다. 단 의심이 많은 치매노인에게는 신체접촉이 부정적인 저항감을 일으킬 수 있으므로 주의한다.

④ 치매환자가 한 말을 반복해서 한다. 자신이 한 말을 다른 사람에 의해 다시 들을 때 편안함을 느낄 수 있으므로 말투나 속도 등을 똑같이 흉내 낸다.

⑤ 치매노인이 가지고 있는 문제가 무엇인지 집중한다.

⑥ 치매노인은 궁지에 몰리면 움츠러들 수 있으므로 "왜 그렇게 했냐"는 다그치는 질문대신 누가 언제 어디서 무엇을 어떻게 등 사실적인 질문을 하도록 한다. 이런 질문으로 치매노인의 감정표현을 자유롭게 하도록 하면 치매노인의 감정을 제대로 탐색할 수 있다.

⑦ 과거에 대한 회상을 유도한다.

⑧ 치매 노인의 동작과 감정을 관찰하고 따라한다. 치매노인과 대화시 얼굴근육, 시선, 자세, 손과 발, 입술모양 등을 관찰하고 공감하고 따라하면 신뢰감 형성에 도움이 된다. 이때 이상한 행동까지 따라할 필요는 없다.

⑨ 치매환자의 행동이나 말을 통해 과거에 충족되지 않은 욕구가 있는지 확인하고 공감해준다.

⑩ 치매노인이 어떤 감각을 선호하는지 확인하고 사용한다.

⑪ 분위기에 맞는 적절한 음악을 활용한다. 치매노인이 더 이상 말을 하지 못할

때에도 익숙한 노래에는 반응하는 경우가 많다.

⑫ 치매노인에게 최악의 경우를 상상해보라고 한다. 최악의 경우를 상상할 때 사람은 자신의 감정을 더욱 확실하게 표현하게 된다. 이때의 불평과 분노를 들어주고 인정해주면 치매노인의 불안을 감소시키는데 도움이 된다.

(5) 집단인정치료

인정치료는 일대일 관계뿐만 아니라 집단에서도 실시할 수 있다. 집단인정치료의 장점은 다음과 같다.

■ 1:1 대화 시에는 10분 내외의 대화가 가능하지만 집단 내에서는 집중시간이 길어져 대화가 1시간 이상도 가능해진다.

■ 서로 상호작용을 통해 에너지가 생성되어 개인적 위축을 막을 수 있다.

■ 집단 내에서 타인의 문제 해결에 도움을 줄 수 있다.

■ 타인과의 상호작용을 통해 가족 관계나 사회적 역할을 회복할 수 있는 기회가 제공된다.

■ 타인과의 상호작용의 기회를 통해 자신의 문제 행동들을 돌아보고 조절하려는 마음이 생길 수 있다.

제8장
치매환자와의 의사소통

제8장
치매환자와의 의사소통

1. 치매환자의 의사소통 특징

　치매환자는 노화와 질환으로 인해 자립하여 일상생활을 보낼 수 없게 되는 만큼, 환자에게 필요한 보호를 위해서는 타인과의 의사소통이 매우 중요해진다. 그럼에도 불구하고 개인의 성격특성이나 환경의 차이에 따라 의사소통에 점점 더 불편을 겪는 경우가 많다. 치매환자의 인지능력 저하에 따른 의사표현 능력 저하는 타인에게 자신의 감정과 의사를 표현하는데 어려움을 겪게 하기 때문이다.

(1) 치매환자의 의사소통 문제

　치매환자는 대뇌피질이 손상되면서 기억, 인지, 지능이 손상되어 의사소통에 문제가 생기게 된다. 치매가 진행될수록 말하기, 쓰기, 이름과 문장의 결합, 대화능력 상실과 같은 언어기능 장애가 일어난다. 치매노인의 의사소통에 관한 연구에서 치매노인의 약 20% 정도는 인사하기와 같은 기본적인 의사소통 능력도 부족한 것으로 나타났으며, 약 25%의 치매노인은 긍정과 부정의 표현에 어려움을 겪는 것으로 나타났다. 또 50% 이상의 치매노인은 실용 의사소통 능력(돈 계산, 전화통화하기, 표 구입하기)에서 어려움을 겪고 있었다.

　치매환자의 의사소통 문제는 표현력의 문제와 이해력의 문제로 나누어 볼 수 있다.

① 표현력의 문제

- 발음이 부정확하거나 두서없이 장황하게 말을 하는 경우가 생긴다.

- 표현하고자하는 적절한 단어를 떠올리지 못하거나 친숙한 사람의 이름, 물건 이름을 잊어버리는 경우도 발생한다.

- 단어를 생각해내기 어렵기 때문에 몇 가지 제한된 단어로 표현하기도 한다.

- 이야기를 할 때 차례 지키기를 어길 때가 생긴다.

② 이해력의 문제

- 글을 읽을 수 있는데도 불구하고 적혀진 정보에 대해 이해하지 못한다.

- 새로운 정보를 이해하기 어려워진다.

- 복잡하거나 자주 사용하지 않는 단어를 이해하기 어려워한다.

- 복잡한 문장의 이해는 어려워한다.

(2) 치매환자의 단계별 의사소통 특징 (Bayles, 1994)

시기	구분	특징
초기	발음	정확하게 사용
	단어	적합한 단어를 생각하는데 어려움을 보임 사용하는 어휘가 줄어 듬 문장을 말할 때 의미 있는 단어를 빠뜨림
	문법	정확한 편임
	내용	주제로부터 멀어짐 의미 있는 문장들을 만드는 능력이 감소함 새로운 정보를 이해하는데 어려움을 겪음 길고 복잡한 내용을 이해하는데 어려움을 보임
	사용	유머, 비유, 풍자를 이해하는데 어려움을 겪음 적절하게 대화를 시작하는데 어려움을 겪음
중기	발음	정확하게 사용
	단어	단어를 떠올리거나 사물 이름을 떠올리기 어려워 함 사용하는 어휘가 눈에 띄게 감소함
	문법	문법적으로 복잡한 문장을 이해하기 어려워 함 문장 미완성, 비문법적 문장이 나타나게 됨
	내용	주제를 잊어버려 주제와 상관없는 말 반복, 생각을 빈번하게 번복함 사소한 일이나 지난 일에 대한 이야기를 함 질문의 내용과 맞지 않는 대답을 함
	사용	말할 때를 알지 못하고 질문을 인지하지 못할 때가 생김 대화상대에 대한 반응성이 낮아짐
후기	발음	정확하게 사용하는 편이나 실수가 나타남
	단어	건망증으로 어휘력이 저하되고 단어 이해력이 부족해짐 단어를 만들고 허튼 소리를 함
	문법	많은 문법 형태의 이해가 부족함 단순하고 익숙한 단어와 구만 이해함
	내용	내용이 무의미하고 독특함 단어와 구문을 반복하고, 지난 일을 되풀이 함

	상황과 문맥의 인지가 어려움
사용	의미 있는 언어의 사용이 부족
	타인에 대해 둔감함
	반향어(상대방이 말한 것을 그대로 따라서 말함) 사용
	일부 환자는 말을 못함

2. 치매노인과 효율적인 의사소통 방법

■ 가까이에서 잘 들리는 소리크기로 말한다.

■ 성인이 사용하는 말을 써서 인격적으로 대화한다. 어린 아이에게 말하듯이 표현하는 것은 좋지 않다.

■ 노인이 알아들을 수 있는 단어를 사용한다.

■ 시간을 충분히 두고 천천히 말한다.

■ 치매노인은 보통 반응이 느리므로 응답할 시간을 충분히 주고 반응할 때까지 기다려준다.

■ 짧고 간결한 문장으로 전달하도록 한다.

■ 노인의 이야기를 끝까지 들어준다.

■ 과거의 경험을 회상하도록 하여 현재의 자신을 인식시킨다.

■ 과거의 일들을 떠올릴 수 있는 단서를 제공하기 위해서는 치매환자의 일대기를 알고 있을 필요가 있다.

■ 적당한 단어로 표현하지 못하는 경우 힘들게 기억하게 하지 말고 대신 말해주는 것이 좋다.

■ 맞지 않는 단어로 표현한 경우 정확한 단어를 말해주는 것이 좋다.

■ 치매노인이 말하고 싶어 하는 내용을 잘 표현하지 못하는 경우, 말하고 싶어

하는 내용을 추측하여 이야기하고 맞는지 물어보도록 한다.

■ 의견이 맞지 않는다고 치매노인과 다투지 않는다.

■ 어떤 한 가지 문제로 계속 흥분하면 대화 주제를 전환시키도록 한다.

■ 명령조로 말하지 않는다.

■ ~하세요, ~하지 마세요, 안돼요, 꼭 ~ 해야 해요 등의 어투는 치매노인을 공격적으로 만들 때도 있다.

■ 처음 만나는 사람뿐만 아니라 몇 번 본 사람이라도 이름이나 직업을 기억 못할 수도 있으니 환자가 확실히 기억할 때까지 만날 때 마다 반복해서 친근감 있게 본인의 소개를 하는 것이 필요하다.

■ 질문을 할 경우 복잡하게 하지 말고 한 번에 하나씩 질문한다.

■ 치매노인의 느낌과 생각이 잘못된 것이더라도 가능하면 긍정적으로 반응하도록 한다.

■ 치매노인은 청력이 저하되어 있는 경우가 많으므로 어느 쪽 귀가 잘 들리는지 확인하고 잘 들리는 쪽에서 이야기하도록 한다.

■ 칭찬과 격려를 많이 하도록 한다.

■ 같은 질문을 반복하는 것은 치매노인이 안심하고 싶은 무언가를 상대방에게 말하려고 한다는 신호라고 생각하고 짜증내지 않고 여유를 가지고 대답해준다.

■ "왜?"라는 질문은 가능한 피한다.

■ 환자의 말에 대해 문법적으로 옳고 그름을 따지지 않도록 한다.

■ 대화에 적절한 시간이 언제인지 알아보고 대화시간을 선택하도록 한다.

■ 환자가 들었을 때 슬프거나 힘든 이야기는 가능한 꺼내지 않도록 한다.

■ 대화시 재미있는 농담을 사용하면 환자와 즐거운 분위기로 대화할 수 있다. 환자가 즐거운 분위기에서 웃으며 유대감과 여유를 느끼게 되면 상대방에게

수용적인 자세를 보이게 된다.

3. 치매노인과 비언어적 의사소통 방법

치매환자는 말보다 눈, 손, 신체, 표정 등 상대방의 비언어적인 표현에 더 민감하게 반응한다. 반대로 환자의 기분을 이해하기 위해서 환자의 몸짓을 잘 살펴볼 필요가 있다. 치매가 중증단계가 되면 말수가 줄어들고 말을 잃어버릴 수 있는데, 이때에는 스킨십, 문자, 그림 등 비언어적인 커뮤니케이션을 활용하여 의사소통을 할 수 있다.

비언어적인 소통을 할 때는 다음과 같은 사항에 주의를 하여야 한다.

- 편안한 자세를 유지하여야 한다.
- 미소를 지으며 밝고 편안한 표정으로 대한다.
- 눈을 마주치면서 대화한다.
- 손을 잡는 등 애정을 표시하도록 한다.
- 언어적인 의사소통을 사용하면서 적절한 몸동작을 보여준다.
- 치매노인이 표현하고 있는 비언어적인 표현방법을 잘 관찰하며 소통한다.
- 치매노인의 비언어적 표현을 모두 이해 못하더라도 무엇을 말하고자 하는지 자세히 관찰한다.
- 알아들었다는 표시를 상대에게 알려준다.
- 적당한 목소리 크기와 높이를 유지한다. 목소리를 높여서 이야기하면 화가 나 있다는 신호로 여겨질 수 있으므로 적당한 크기로 이야기하고 소리의 높이를 낮춰서 이야기하도록 한다.
- 자세를 치매노인 쪽으로 약간 기울여준다.
- 이해를 도울 수 있게 글이나 그림을 활용한다.

4. 경청과 대화 환경

(1) 경청

■ 치매노인이 하는 말이 흥미 없는 주제라고 여기고 무시하지 않도록 한다.

■ 치매환자의 말을 넘겨짚지 않는다.

■ 기록만 하느라 경청하지 않으면 안 된다.

■ 치매노인이 하는 말에 문제가 있다고 생각되어도 무시하지 않는다.

■ 치매노인이 하는 표현에 지나치게 영향을 받지 않는다.

(2) 치매노인과의 바람직한 대화 환경

치매환자는 주변의 모든 것에서 메시지를 받을 수 있다. 따라서 원활한 의사소통을
위해 주변 환경을 대화하기 적당한 환경으로 만들어야 한다.

■ 너무 춥거나 더운 곳은 피한다.

■ 너무 어두운 곳에서 대화하지 않도록 한다.

■ 불편한 의자나 자세 등도 의사소통을 방해 할 수 있다.

■ 방해가 되는 소음이나 자극이 있는 상태에서는 노인이 주의를 집중하기
어려우므로 조용한 곳을 선택한다.

제9장

치매노인 보호와 관리

제9장
치매노인 보호와 관리

치매는 증상에 따라 적합한 방법으로 보호되어야 한다. 일반적으로 치매노인의 행동실수를 보고 보호자들이 대신 해주는 경향이 있는데, 가능한 노인이 스스로 할 수 있도록 자극을 해주어야 한다. 그렇지 않으면 치매노인이 더 이상 그 행동을 할 수 없게 기능이 쇠퇴되기 때문이다. 따라서 치매노인 관리는 치매노인에게 현재 남아있는 능력을 최대한 활용하도록 하면서 치매노인을 비롯하여 그 가족의 삶의 질도 함께 높이는데 목적을 두고 보호 전략을 세워야 한다.

1. 치매노인의 보호 원리

(1) 지지적 보호

지지적 보호란 치매를 앓고 있지만 이해받고 있다는 느낌을 주면서 인간으로서 감정을 존중해주는 방법을 사용하여 치매환자의 자존감을 향상시키는 방법이다. 지지적 보호를 할 수 있는 방법은 다음과 같다.

- 잘못된 행동을 했을 때 비난하지 않고 있는 그대로 수용해준다.

- 환자가 할 수 있는 일은 스스로 하도록 기회를 주고 존중해준다.

- 환자가 하는 이야기를 끝까지 공감하며 경청해준다.

- 환자가 스스로 선택하고 결정할 수 있는 기회를 주도록 한다.

- 환자가 보호받고 있다는 느낌이 들게 하여 안정감을 가지게 한다.

- 환자가 현재의 자신을 인식하도록 과거의 경험을 회상하게 한다.

(2) 안전한 물리적 환경 유지

인지기능이 손상된 치매노인은 사고를 당할 위험에 노출되기 쉬우므로 사고를 당하지 않도록 안전한 환경을 조성하는 것이 중요하다.

- 계단에는 손잡이나 난간을 설치하도록 한다.

- 치매노인의 주위에 칼, 약, 다리미, 세제 등 위험한 물건을 두지 않도록 한다.

- 방향을 알고 찾아갈 수 있도록 벽이나 바닥에 보행선을 표시한다.

- 배회로 길을 잃을 수 있을 때에는 밖으로 나가지 못하도록 바깥문을 잠가 둔다.

- 배회하는 환자에게는 안전하게 배회할 수 있는 장소를 마련해준다.

- 치매환자의 방 입구에 자신의 방을 알려주는 표시를 해둔다.

- 갑자기 가구나 방, 환경을 바꾸지 않고 자신에게 친숙한 방을 계속 사용하도록 한다.

(3) 환자가 예상할 수 있는 규칙적인 일과

치매노인의 하루 일과를 규칙적으로 만듦으로써 사람, 장소, 시간에 대한 지남력을 키우고, 스트레스를 주지 않는 환경을 만들 수 있다.

- 낮에 충분히 활동하도록 하여 밤에 숙면을 취할 수 있게 한다.

- 기상시간, 식사시간, 준비, 수면시간, 휴식시간, 운동시간, 놀이시간 등 하루 일과를 정해진 순서대로 따르도록 계획하여 치매환자가 다음 활동을 예측할 수 있도록 한다.

- 단추 대신 지퍼 있는 옷을 사용하는 등 환자의 활동을 최대한 단순하고 편리하게 만들어준다.

- 정해진 장소에서 적합한 일을 할 수 있도록 잠은 침실에서, 식사는 주방에서 하도록 정해둔다.

(4) 가족, 이웃, 기관 등과의 협조체계

치매노인과 그 가족이 제대로 보호를 받으려면 각계각층의 상호협력과 역할 분담이 필요하다. 이웃, 치매관련 기관, 의사, 사회복지사, 작업치료사, 영양사, 치매예방 전문가, 가정방문봉사자, 물리치료사 등 다양한 분야의 사람들이 협력할 수 있는 체계를 만들어야 한다.

2. 치매환자의 생활 관리

(1) 가출, 배회

외출시 꼭 하는 행위를 파악하여 동기를 없애도록 한다. 같은 신발을 신고 나가거나 같은 옷을 입고 나가는 경우 그 신발이나 옷을 보이지 않게 하면 가출을 포기하기도 한다.

- 안에서 열지 못하는 열쇠로 문을 잠그면 가출을 막을 수 있다.

- 문에 종을 달아두면 외출을 파악할 수 있다.

- 가출시 행방을 알 수 있는 팔찌나 이름표를 달아두도록 한다. 팔찌는 풀지 못하게 해야 한다.

- 지루함을 느낄 때 가출하고자 하는 경우도 있으므로 치매노인이 할 수 있는 일을 하도록 유도하는 것도 좋다.

(2) 개인위생

■ 목욕을 도와줄 경우 부드럽게 대해야 한다.

■ 목욕은 계획된 일정한 시간에 시키면 거부감을 줄일 수 있다.

■ 세수나 목욕 시 물 온도를 체크한다.

■ 틀니가 있을 경우 잘 빼서 관리하도록 한다.

■ 머리는 가능한 짧게 자르는 것이 청결유지에 좋다.

■ 머리는 잘 말리도록 한다.

■ 목욕 전 미리 배설을 유도한다.

■ 욕실 안에서 문을 잠그지 않도록 잠금장치를 해제해 둔다.

■ 욕실 안 변기 옆이나 욕조 옆에 손잡이를 설치하도록 한다.

■ 목욕을 너무 오래하지 않도록 한다.

■ 목욕 의자 등을 사용하여 편안한 자세로 목욕하도록 배려한다.

■ 필요시 특정 부위만 씻어도 된다. 매일 목욕을 할 필요는 없다.

■ 민감한 부분은 스스로 씻게 하거나 제일 마지막에 씻도록 한다.

■ 면도기는 전기면도기를 사용하는 것이 안전하다.

■ 옷을 벗는 것에 대한 수치심을 느낄 경우 가장 편안한 보호자가 부드럽게 대화하면서 유도하도록 한다.

(3) 배설 관리

■ 배뇨, 배변 시간을 기록해두고 시간을 예측하여 미리 배설하도록 유도한다.

■ 기상 직후, 식사 후, 잠들기 전과 같이 특별한 시간을 정해두고 2시간마다 화장실에 가도록 유도한다.

- 필요시 간이 변기를 사용한다.

- 밤에는 간이 변기를 방안에 두는 것도 좋다.

- 소변을 너무 자주 보게 하는 음식은 피한다.

- 섬유질이 많은 음식을 섭취하게 한다.

- 매일 식사 음식을 기록한다.

- 너무 자극적이고 기름진 음식은 피한다.

- 요와 이불을 자주 세탁하고 잘 말리도록 한다.

- 요나 매트 위에 비닐이나 일회용 침대패드를 깔면 도움이 된다.

- 배변 후 깨끗이 청결을 유지하도록 한다.

- 배변 후 스스로 쉽게 입고 벗을 수 있는 옷을 입히도록 한다.

- 화장실 가는 길과 화장실은 큰 글씨나 기호로 표시해두도록 한다.

- 실금을 방지하기 위해 취침 전 몇 시간 동안은 유동식 음식의 섭취를 제한한다.

- 배변을 하고 싶어 하는 모습이 보이면 화장실로 유도하도록 한다.

- 필요한 경우 성인용 기저귀를 사용한다.

- 속옷이나 기저귀를 갈아입지 않으려고 할 때 부드러운 말로 여유를 두고 시도한다.

- 화장실을 스스로 이용할 수 있도록 격려한다.

- 실금 시 싫은 표정을 보이면 위기감을 느껴 증상이 더욱 악화되므로 주의한다.

요실금이 있는 경우 다음과 같은 정보를 기록해두었다가 전문가에게 제공하도록 한다.

- 언제, 얼마나 자주 요실금이 발생하는지
- 얼마나 자주 소변을 보는지

- 부적절한 곳에 소변을 보지 않는지
- 웃거나 기침을 할 때 발생하는지
- 화장실에 가는 도중 발생하는지
- 낯선 장소에서만 발생하는지

(4) 옷 입기

■ 옷은 단추가 많은 옷보다 지퍼 달린 옷이 좋고, 하의는 고무줄 바지나 치마가 편리하다.

■ 빨래하기 편한 옷을 입히도록 한다.

■ 낮에 입히는 옷과 밤에 입히는 잠옷을 구분하여 시간감각을 가지게 한다.

■ 긴 치마는 밟을 경우 넘어지는 사고가 날 수 있으므로 주의를 요한다.

■ 스스로 할 수 있도록 격려하고 잘하고 있다고 칭찬을 해주도록 한다.

■ 옷을 입는데 필요한 충분한 시간을 주도록 한다.

■ 계절에 맞는 옷만 보이도록 한다.

■ 옷 입는 방법을 알려줄 필요가 있을 시에는 반복해서 알려준다.

■ 옷 입는 순서에 맞게 옷을 미리 배열해두는 것이 좋다.

■ 기분 좋을 때 옷을 갈아입도록 하는 것이 좋다.

■ 타이트한 옷보다 넉넉한 옷이 갈아입기 편하다.

■ 입을 옷을 직접 고르도록 한다.

■ 신발은 미끄럽지 않고 신고 벗기 편한 신발을 신게 한다.

■ 새 신발을 신게 할 때는 적응을 위해 계속 신던 신발을 신는 것처럼 해주도록 한다.

(5) 수면 관리

- 기상 시간, 수면 시간을 기록하여 둔다.

- 커피, 초콜릿, 녹차, 홍차 등 카페인이 든 음료는 제한한다.

- 자기 전 수분 섭취는 제한한다.

- 밤에 잠을 잘 들 수 있게 낮 시간 동안 여가활동에 참여시킨다.

- 낮잠은 너무 오래자지 않게 하고, 짧은 한두 번으로 제한한다.

- 밤에는 소음과 불빛을 제한하여 잘 시간임을 알려준다.

- 자다가 깨더라도 조용히 다독여 다시 잠들게 도와준다.

- 수면시간에는 조용한 환경을 만든다.

(6) 식사 관리

치매초기에는 기억력 등 인지기능의 감소가 나타나게 되면서 음식을 먹는 의미나 식사 도구를 사용하는 목적에 대한 지각 능력이 상실된다. 치매가 진행되면 식사도중 배회, 식사 거부, 무관심과 같은 문제행동이 나타나다 결국 씹고 삼키는 능력마저 상실하기도 한다.

- 식사 시에 좋아하는 음식과 싫어하는 음식을 이야기하도록 유도한다.

- 고단백, 고열량 음식이나 비타민제 등을 제공하여 영양섭취에 힘쓴다.

- 너무 뜨겁거나 차가운 음식은 피한다.

- 깨지지 않는 그릇을 사용한다.

- 일정한 시간에 식사를 제공하도록 한다.

- 식사 전후로 치매노인이 할 수 있는 일에 참여시키도록 한다.

- 체중을 자주 재고 관리한다.

- 자주 식사를 요구할 때는 조금씩 자주 주도록 한다.

- 너무 많이 먹는 경우에는 저 열량식을 제공한다.

- 스스로 식사할 수 있도록 장려한다.

- 한 번에 여러 가지 음식을 주기 보다는 다 먹고 난 후 다음 음식을 주도록 한다.

- 구강 상태를 자주 살핀다.

- 반찬 종류와 위치를 수시로 알려준다.

- 뜨거운 것을 판단하는 능력이 부족하므로 음식의 뜨거운 정도를 미리 확인한다.

- 먹기 편한 형태로 음식을 준비한다.

- 식사시간은 즐거운 시간이 되도록 유쾌한 대화를 하는 것이 좋다.

- 약간 무거운 숟가락을 사용하게 하여 숟가락을 들고 있다는 사실을 잊어 버리지 않도록 한다.

- 손잡이가 큰 숟가락을 사용하게 한다.

- 유리로 된 그릇보다는 플라스틱 제품을 사용한다.

- 양념은 식탁 위에 두지 않는다.

- 손으로 음식을 먹는 습관이 있으면 손으로 먹을 수 있는 샌드위치 같은 음식을 선택하거나 비닐용 식탁매트를 깔아둔다.

- 저작 기능을 잊어버린 환자에게 질식할 위험이 있는 음식은 주지 않는다.

(7) 운동

- 규칙적인 운동을 하면 체력을 유지하고 장운동을 원활히 하는데 도움이 된다.

- 운동을 할 때는 한 번에 한 가지만 실시한다.

- 운동 후 충분히 칭찬을 하여 강화를 하도록 한다.

- 새로운 운동은 충분히 익힐 수 있는 시간을 준다.

- 매일 식사 후 산책을 하도록 유도한다. 단, 새로운 장소에서의 산책은 피하도록 한다.

- 매일 같은 길을 걷는 산책은 혼란을 막고 불안함을 줄일 수 있다.

- 운동 도중 문제가 발생했을 시에는 반드시 의사에게 의뢰한다.

3. 문제행동 관리

치매환자 간호시 생기는 문제는 환자마다 상황마다 다르다. 사례를 통해 적절한 대처 방식 요령을 터득하고 적용해 보도록 한다.

(1) 슬퍼할 때

아무도 나를 찾지 않고 나를 싫어한다고 슬퍼할 때는 무조건 슬퍼하지 말라고 하기보다는 누구나 슬플 때가 있고 누구나 그런 감정을 느낄 수 있다는 것을 받아들이도록 한다. 사랑을 표현함으로써 환자의 마음을 편안하고 따뜻하게 해주도록 한다.

■ 비추천 방법

"슬퍼하지 마세요. 그러면 더 우울해져요. 곧 자제분들이 찾아올 거예요. 자꾸 행복하다고 생각해야 행복해져요."

■ 추천 방법

"지금 우울하시구나.. 저도 우울해질 때가 있어요. 아무도 좋아하지 않기는요. 제가 얼마나 좋아하시는 분인데요~ 자제분들이 찾아오면 즐거운 시간 보내게 되실 거예요."

(2) 식사를 했는데도 또 하려고 할 때

환자는 식사를 하고도 금방 잊어버리기 때문에 또 식사를 달라고 하는 것이다. 화를 내거나 혼내면 치매환자를 방어적으로 만들 수 있으므로 화제를 전환하거나 식사를 제외한 간단한 것을 주도록 한다.

■ 비추천 방법

"금방 식사하셨잖아요. 하루 종일 밥 달라고만 하세요."

■ 추천 방법

칼로리가 적은 음식을 주거나 앞으로는 음식을 조금씩 나누어 주도록 한다.

(3) 돈을 가지고 싶다고 할 때

돈을 가지고 싶다고 하는 경우 초기 치매의 경우는 간단한 계산이 가능하므로 몇 천원을 주고 물건 사기, 금전 관리를 하도록 하여 자기 관리를 하도록 하는 것이 좋다. 중기~후기에는 돈을 가지고 있는 것 자체에 대해 심리적 안정감을 가질 수 있으므로 잃어버려도 괜찮은 정도의 동전 정도만 주도록 한다.

■ 비추천 방법

"○○ 사달라고 부탁했는데 안 사오셨네요. 잊어버리셨어요?"
"절대 안 돼요. 금방 잃어버리시잖아요." (돈을 달라고 할 때)

■ 추천 방법

"고마워요. 정말 큰 도움이 되었어요." (물건을 사왔을 때)

(4) 운전을 하려고 할 때

의사가 치매 환자는 운전을 못하도록 되어 있다는 말을 환자 본인에게 직접 알려주도록 한다. 운전 시에는 가족이 반드시 옆에 탈 것을 추천하고 타인을 태우지 않도록 한다.

운전을 못하도록 자동차 열쇠를 숨기면 불안해하므로 열쇠를 주고 자동차 배터리를 빼두는 방법도 있다. 또는 "차가 고장이 나서 시동이 안 걸림"이라고 차에 메모를 붙여두는 방법도 추천한다.

4. 치매노인을 위한 환경 관리

(1) 조명

- ■ 조명은 밝게 유지하되 눈이 부시지 않게 한다.

- ■ 침실에는 야간 등을 켜두고 복도도 밝게 유지하도록 한다.

(2) 위험한 물건

- ■ 치매노인이 실수로 마실 수 있는 세제나 소독약, 독극물 같은 것은 손에 닿지 않는 곳에 보관하는 것이 좋다.

- ■ 약을 복용하는 경우, 과량 복용하지 않도록 약을 안전한 곳에 보관하도록 한다.

- ■ 성냥이나 라이터도 위험하므로 담배를 피우는 경우 특히 주의를 기울여야 하며, 잠자리에서 흡연을 하지 못하도록 한다.

- ■ 바닥에 흩어져있는 물건들은 바로 치우도록 한다.

- ■ 뾰족한 가구나 모서리에는 모서리 보호제품을 붙여둔다.

(3) 주방

- ■ 주방에는 위험한 물건들이 많기 때문에 칼, 가위, 주전자, 깨지기 쉬운 유리컵

등은 손이 닿지 않는 곳에 치워둔다.

■ 치매노인이 가스 불을 사용하는 경우 위험할 수 있으므로 안전 스위치가 장치된 가스밸브를 설치한다.

■ 가스누출 탐지기를 설치하는 것이 좋다.

■ 주방용 세제나 양념, 조미료 등도 손이 닿지 않는 곳에 보관하도록 한다.

(4) 욕실

■ 바닥이 미끄럽지 않은지 미리 점검하고, 물기를 닦거나 미끄럼방지 매트를 깔아둔다.

■ 변기 옆이나 욕조 옆, 욕실 벽에 손잡이를 달도록 한다.

■ 욕실은 변기 색, 목욕 의자 색, 세면대 색, 수건 색 등을 각기 다른 색으로 구분 하여 용도를 쉽게 구분할 수 있게 해주는 것이 좋다.

■ 욕조 안에 미끄럼방지 스티커를 붙여둔다.

■ 욕실에는 혼자 두지 않도록 한다.

■ 샤워실 유리문에는 부딪치지 않도록 스티커를 붙여 표시해두도록 한다.

■ 욕실 의자는 치매노인의 상태에 따라 적절히 사용하도록 한다.

■ 온수에 델 수 있으므로 빨간 색으로 온수를 표시해두고 알려준다.

(5) 현관

■ 출입구는 잘 알아볼 수 있도록 밝은 색 야광 테이프를 붙여둔다.

■ 현관에 종을 달아둔다.

(6) 난방기구

■ 난로 같은 난방기구는 위험하므로 늘 주의를 기울여야 한다.

■ 난로 위에 옷을 말리지 않도록 한다.

■ 가스난로 사용 시 환기를 잘 시키도록 한다.

■ 가스 화재를 예방하기 위해 독립된 안전장치가 장치된 가스밸브를 설치한다.

■ 전열기구는 시간장치가 부착된 것을 사용하는 것이 좋다.

■ 전기매트를 사용하면 위험할 수 있으니 주의를 기울이도록 한다.

■ 난방기구는 치매노인 혼자 사용하지 않도록 한다.

(7) 연락처

■ 잘 보이는 곳에 유용한 연락처 리스트를 적어놓도록 한다.

■ 연락처를 적은 팔찌나 목걸이를 착용하도록 한다.

■ 가족, 병원, 경찰서, 택시회사, 사회복지기관, 가스, 수도, 전기회사의 연락처 등을 적어두도록 한다.

제10장

치매가족의 보호

제10장
치매가족의 보호

1. 치매가족을 위한 사회복지서비스

치매가족을 위한 복지서비스는 크게 재가복지서비스와 시설복지 서비스로 분류된다. 재가복지 서비스에는 치매가족 교육, 자조집단 프로그램, 휴식서비스, 가족 치료적 개입이 있고, 요양시설 등은 사회복지 서비스에 속한다.

(1) 치매가족을 위한 교육 프로그램

치매 예방 프로그램, 치매의 발견 및 진단, 치매 치료 정보, 대처방법에 대한 교육 등이 있다.

(2) 자조집단 프로그램

① 지지집단

지지집단이란 치매노인 수발이라는 공통의 문제를 경험하는 사람들의 조직으로서 전문가의 의도로 조직된 집단을 말한다. 주로 사회복지관, 치매예방센터, 건강센터 등에서 전문가 프로그램으로 운영되고 있다. 지지집단 프로그램으로는 집단토론, 치매증상과 대처기술에 대한 정보제공 교육 프로그램, 긴장완화를 목적으로 하는 이완훈련 등이 있다.

② 상호부조망

상호부조망은 전문가의 도움 없이 자발적으로 모인 집단을 말하며, 비공식적인 성격을 띤다. 치매노인 가족들은 따로 시간을 내기가 어렵고 공식적인 모임에 노출을 꺼리기 때문에 비공식적인 모임을 선호한다. 전화망 프로그램은 상호부조망 프로그램의 대표적인 프로그램으로 시간적 공간적 제약을 받지 않으며, 일대일 관계로 고립된 수발인들에게 지지와 정보를 제공해주는 도구이다.

(3) 휴식 서비스

주간보호 서비스, 단기보호 서비스, 위탁보호, 가정봉사원 파견서비스 등이 있다.

(4) 가족 치료적 개입

가족은 치매노인에게 가장 중요한 사회적 지지자인 동시에 갈등의 원천이 되기도 한다. 치매노인 증상에 따른 해석의 차이, 수발에 대한 책임 차이로 인한 부부갈등, 부모자녀 갈등, 형제자매 관계 갈등 등 다양한 갈등이 일어나기 때문이다. 이런 위기상황에 처한 가족에게 개입하여 치매를 둘러싼 가족 내부의 의사소통 능력 향상, 가족 내에서의 역할에 대한 이해, 치매노인을 둘러싼 문제해결력을 높이는 것이 가족치료적 개입의 목표이다.

(5) 시설복지 서비스

치매전문 요양시설, 치매노인 그룹 홈 등이 있다.

2. 치매가족의 위기단계와 사회복지적 개입

(1) 치매가족의 위기단계

치매가 걸린 가족이 생기면 그 가족은 수발에 대한 정서적, 경제적 부담을 가지게 되면서 위기 상황을 맞게 된다. 롤란드(Rolland)는 치매 발병에서 말기에 이르는 동안 치매 증상과 치매가족 수발인의 경험단계를 다음과 같은 위기단계로 설명하고 있다.

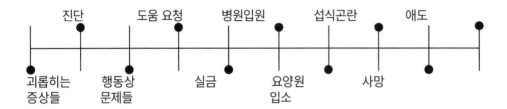

< 초기단계 >

① 괴롭히는 증상들 단계
첫 번째 위기단계로 치매와 건망증이 혼동되는 단계로 가족들은 당황하고 우울하게 된다.

② 진단 단계
두 번째 위기단계로 병원에서 치매라는 진단을 받게 되는 시점이며, 이 사실을 알게 되는 순간 가족들은 절망하고 낙담하게 된다.

< 진행단계 >

③ 행동상의 문제들
인지장애, 배회, 의심, 망상, 배회, 성적 도착증상 등 노인의 다양한 행동상의 문제들로 가족들은 심한 분노와 상실감을 느끼게 된다.

④ 외부 도움을 요청하는 단계
가족들이 시설이나 병원 입원 등 외부에 도움요청을 고려하게 되는 단계로, 자칫 죄책감과 현실적인 대응 사이에서 가족 간의 갈등이 생기게 되기 쉬운 단계이다.

< 중증단계 >

⑤ 실금단계

시설 입소를 결정하게 만드는 원인이 되는 단계이다.

⑥ 병원입원 단계

어쩔 수 없이 치매노인을 병원에 입원시켰다 하더라도 죄책감과 병원에 대한 불신 등으로 스트레스를 겪기 쉽다.

⑦ 요양원 입소 단계

치매노인이 가정에서 요양시설에 입소하게 되는 단계로, 여전히 죄책감과 우울감을 느끼는 상태이다.

< 말기단계 >

⑧ 섭식곤란 단계

더 이상 음식물을 섭취하지 못하게 되는 단계로 죽음을 예견하는 단계이다.

⑨ 사망단계

치매노인이 사망하게 된다.

⑩ 애도 단계

노인의 죽음에 따른 슬픔과 적응의 문제와 관련된 단계이다.

(2) 단계별 치매가족을 위한 사회 복지적 개입

각 단계별로 다음과 같은 사회 복지적 개입전략이 필요하다.

① 초기단계

초기단계는 괴롭히는 증상들과 진단의 단계이다. 즉 노인의 행동에 이상이 발견되고 가족들을 괴롭히는 증상들이 자주 나타나면서 병원에 가게 되고, 치매라는 진단결과를 받게 되면서 시작되는 단계이다. 이 단계에서 가족들은 치매에 대한 불안, 부담감과 함께 치매에 관련된 정보를 탐색하고 어떻게 수발해야할지 알아보기 시작한다.

이 단계의 사회 복지적 개입으로 먼저 할 일은 가족이 현실을 받아들일 수 있도록 격려와 위로를 해주는 일이다. 치매가 어떤 병인지 정보를 주고 지역사회에서 관련 교육과 서비스를 받을 수 있는 곳을 알려주어야 한다. 또 치매노인의 수발에 대한 책임을 어떻게 해결해야할지 결정하도록 한다. 동거자녀, 비 동거 자녀를 모두 참석시켜 기본적인 수발책임과 경제적인 문제, 위급한 문제에 있어 누가 무엇을 언제 어떻게 할지 기준을 정하도록 한다.

이때 치매노인과 수발인과의 관계뿐만 아니라 수발인과 다른 치매가족과의 관계 등을 파악해두고, 가족들 간의 책임이나 역할 불균형에 대한 문제를 미리 설명해주도록 한다. 치매증상에 대한 설명과 함께 치매증상에 따른 적절한 인지훈련법 등의 대처법도 알려주도록 한다.

② 진행단계

진행단계는 치매노인의 행동상의 문제들이 심각해지면서 수발에 한계를 느끼고 외부에 도움을 요청하게 되는 단계이다.

이 단계에서 필요한 사회 복지적 개입은 수발인들이 가정에서 치매노인을 돌보는 일에 한계를 느끼면서 가족갈등이 심화될 수 있고, 그럼에도 책임을 다해야한다는 전통적 사고와 정서적, 신체적 한계 등으로 스트레스가 심해지는 만큼 이를 도와줄 수 있는 개입이 이루어져야한다. 이 시기의 가족들은 분노, 우울, 죄책감과 마주대하게 되는데 이러한 감정을 잘 처리할 수 있도록 적절한 가족치료 기법을 실시하도록 한다.

또 지역사회에 치매관련 서비스, 치료기관과의 연계, 지지집단 모임에 대한 정보를 제공하여 치매가족의 사회적지지망을 확대시켜주는 것도 수발인에게 도움이 된다.

③ 중증단계

중증단계는 치매증상이 심해지면서 치매노인에게 요실금 현상이 나타나 수발인들이 병원입원이나 요양원 입소를 고민하는 단계이다.

이때 수발인들은 책임감과 죄책감, 경제적 부담 등으로 심각한 스트레스 상황에 놓이게 되는데, 사회 복지사는 수발인들이 이러한 감정을 솔직하게 표현할 수 있도록 도와주고 격려해주어야 한다. 또 치매노인의 실금을 대비하기 위해 화장실이 어딘지 잘 알아볼 수 있도록 화장실문에 큰 표시를 해둔다든지, 배설간격 시간표를 작성하여 배설간격을 알아두게 하는 등 구체적인 대응 방법을 알려주기도 한다.

또 병원이나 요양원 입소 후 가족들이 죄책감과 함께 시설에 대한 불만이나 불신을 가질 수 있으므로 가족의 입장에서 병원과 시설사이에서 중재적인 역할을 해주도록 한다. 시설 입소 후에는 가족들이 가지게 되는 슬픔을 이해해주며 정서적으로 잘 적응할 수 있도록 도와주도록 한다.

④ 말기단계

말기단계는 섭식곤란, 죽음, 애도의 단계이다. 이 시기는 치매노인이 더 이상 음식섭취가 불가능하여 튜브를 통한 투여방법 등을 고려하거나 집에서 마지막 케어를 해야 할지 고민하는 시기이다. 이때 사회 복지사는 치매노인이 의사결정 능력이 없을 경우 가족들이 원만한 협의를 하도록 도와주어야 한다. 또 노인의 죽음 이후 애도단계에서 죄책감보다는 수발에 대한 긍정적인 평가를 할 수 있도록 유도함으로써 역할에 대한 자부심을 가지게 해주도록 한다.

3. 치매가족 상담

치매가족이 상담자를 찾는 것은 치매노인 보호나 간호에 어려움을 겪다가 용기를 내어 찾아온 것이므로 그들의 마음을 깊이 이해하며 구체적인 도움을 주어야 한다. 치매가족 상담시에는 치매노인과 가족들의 정신적, 신체적 고통을 이해하며, 문제점이 무엇인지 어떻게 해결되기 원하는지에 대해 파악해야 한다. 또 가족들이 구체적으로 도움을 요청할 때 담당자가 가정을 방문하거나 치매관련 시설을 알려주도록 한다. 치매노인이 호소하는 어려움에도 관심을 기울여야 하는데, 노인과 함께 대화하고 지내다보면 보다 명확히 어려움을 파악할 수 있다.

(1) 치매가족 상담 방법

치매가족을 도와주는 방법은 긴급한 상황에 대한 원조, 계속적 지원, 정신적 지원, 가사도움 등 다양한 방법이 있으며 각 경우를 대비하여 대처할 수 있는 체계를 갖추어야 한다.

긴급한 도움이 필요한 경우 빠른 대처를 위해 직접 면담이나 가정방문을 실시한다. 가정방문을 할 경우 노인과 가족이 생활하고 있는 가정환경을 잘 관찰할 필요가 있다. 이때 구체적으로 받을 수 있는 도움에 대해 알려주고 적절하게 대처함으로써 가족들에게 도움을 주도록 한다.

치매노인을 지속적으로 지원하기 위해서는 우선 노인의 가정, 병원, 주간보호소 등을 방문하여 노인의 상황에 대해 파악하는 것이 필요하다. 가족과 시설관계자와 함께 노인에 대한 정보를 교환하여 상황에 따라 적절한 서비스가 이루어지도록 한다.

(2) 치매노인 상담원에 필요한 자질

- 치매에 대한 기본적인 지식과 기술을 가지고 있는 전문가여야 한다.

- 치매증상, 간호방법, 복지 등에 대해서도 정보를 수집해야 한다.

- 지속적인 연수를 통해 전문성을 키워야 한다.

- 필요한 경우 전문의의 진단을 받게 하거나 주치의와 상의하도록 해야 한다.

- 치매노인을 도와줄 수 있는 다양한 기관에 대해 파악하고 있어야 한다.

- 관련된 지역사회 기관은 어떤 기관들이 있으며 처우 상태나 업무 내용은 어떤지 파악해 두어야 한다.

- 노인의 생활환경이 변화되었을 경우 잘 적응하고 있는지 관찰해야 한다.

■ 가족관계, 지내온 생활환경, 성격, 친구관계 등 치매노인에 대한 정보를 다각적으로 수집하여 이해를 높이도록 한다.

제11장

치매관련 기관과 제도

제11장
치매관련 기관과 제도

1. 치매관련 기관

구분	기관 종류		
치매센터	중앙치매센터, 광역치매센터, 치매안심센터		
정신건강증진센터	정신건강증진센터		
의료기관	요양병원		치매협약병원
	공립요양병원 사립요양병원		상급종합병원 종합병원급 요양병원급 병원급 의원급
장기요양기관	재가	주야간보호, 방문간호, 방문요양 방문목욕, 단기보호, 복지용구	
	시설	노인요양 공동생활가정 노인요양시설	
	치매 전담형 장기요양기관	요양시설내 치매전담실 치매전담형 노인요양공동생활가정 치매전담형 주야간보호	
	인지 활동형 프로그램 제공기관	주야간보호 (5등급) 방문요양 (5등급) 방문간호 (5등급)	
노인 돌봄 종합서비스	노인돌보미, 노인단기 가사서비스		
기타	노인보호 전문 기관, 치매극복 선도 도서관		

2. 장기요양보험 제도

(1) 장기요양급여의 종류

장기요양급여에는 재가급여, 시설급여, 특별 현금 급여가 있다.

① 재가급여

- 방문 요양 : 장기요양요원이 가정을 방문하여 취사, 청소 등 일상생활과 세면, 옷 갈아입기, 배설, 머리 감기 등 신체활동 등을 지원한다.

- 방문 목욕 : 장기요양요원이 가정을 방문하여 목욕 설비 장비를 이용하여 목욕 서비스를 제공한다.

- 방문 간호 : 장기요양요원이 가정을 방문하여 의사, 한의사, 치과의사 등의 지시에 따른 간호, 진료 보조, 구강 위생 서비스를 제공한다.

- 단기 보호 : 일정 기간 동안 수급자를 보호시설이나 요양기관에 보호하며 다양한 교육, 훈련 등을 제공한다.

- 주·야간 보호 : 하루 중 일정 시간동안 수급자를 장기요양기관에 보호하여 다양한 교육과 훈련을 제공한다.

② 시설급여

노인 요양시설에 장기간 입소하여 다양한 교육과 훈련을 제공한다.

③ 특별 현금급여

가족 요양비만 시행중이다. 가족 요양비란 수급자가 산간벽지 등 장기요양기관이 부족한 지역에 거주하는 경우나 천재지변 등으로 장기요양기관의 장기요양급여를 이용하기 어려운 경우, 신체·정신·성격 등의 이유로 가족으로부터 방문요양에 상당하는 장기요양을 받은 경우 수급자에게 지급되는 현금급여를 말한다.

④ 복지용구

일상생활, 신체활동 지원에 필요한 용구 구입, 대여 등을 지원한다.

(2) 장기요양급여의 이용 절차

① 인정 신청

인정 신청 자격은 만 65세 이상 노인 또는 만 65세 미만으로 치매, 파킨슨병, 뇌혈관질환 등 노인성 질병을 가진 자이다. 한국 표준 질병사인 분류에 따른 노인성 질병의 종류는 다음과 같다.

순번	질병명	질병코드
1	알츠하이머병에서의 치매	F00
2	혈관성 치매	F01
3	다르게 분류된 기타 질환에서의 치매	F02
4	상세불명의 치매	F03
5	알츠하이머병	G30
6	자주막하출혈	I60
7	뇌내출혈	I61
8	기타 비 외상성 두 개내 출혈	I62
9	뇌경색증	I63
10	출혈 또는 경색증으로 명시되지 않은 뇌졸증	I64
11	대뇌경색증을 유발하지 않은 뇌전동맥의 폐쇄와 협착	I65
12	뇌경색증을 유발하지 않은 대뇌동맥의 폐쇄와 협착	I66
13	기타 뇌혈관 질환	I67
14	달리 분류된 질환에서의 뇌혈관 장애	I68
15	뇌혈관 장애의 후유증	I69

16	파킨슨병	G20
17	이차성 파킨슨증	G21
18	달리 분류된 질환에서의 파킨슨증	G22
19	기저핵의 기타 퇴행성 질환	G23
20	중풍 후유증	U23.4
21	진전	U23.6

② 인정 조사

인정 조사는 간호사, 사회복지사 등 국민건강보험공단 소속의 장기요양 직원이 가정을 직접 방문하여 조사한다. 조사 내용은 인지기능, 신체기능, 행동변화, 재활 등 인정 조사 부분과 생활환경, 증상, 희망 급여 등을 조사한다.

③ 등급의 판정과 등급의 수준

장기요양등급판정위원회는 장기요양 직원이 방문하여 조사한 결과와 의사의 소견서 등을 바탕으로 6개월 이상 혼자서 일상생활을 하기 어렵다고 판단되는 경우 장기요양급여 대상자로 판정하고 장기요양등급을 부여한다.

등급	상태	수준
1등급 최중증	와상상태로 일상생활이 거의 불가능한 상태	· 종일 침대에서 누워서 생활하는 자로 스스로 움직일 수 없는 상태 · 식사, 옷입기, 배설 등 모든 활동에서 다른사람에게 전적으로 의지해야 하는 수준
2등급 중증	일상생활이 곤란한 상태	· 휠체어를 이용하지만 앉은 자세를 유지하지는 못함 · 식사, 옷입기, 배설 등 일상생활에서 다른 사람의 도움이 필요 · 대부분의 시간을 침대에서 보내는 경우가 많음
3등급 중등증	장기요양보호가 필요한 상태	· 식사, 옷입기, 배설 등 일상생활에서 다른 사람의 도움이 부분적으로 필요

④ 인정 결과의 통지

장기요양인정 등급이 판정되면 공단에서 장기요양인정서와 표준장기요양이용
계획서를 신청자에게 발송한다. 장기요양 인정서에는 장기요양 인정자 등급, 유
효기간, 급여의 종류 및 내용 등이 안내되어 있다. 표준장기요양이용 계획서에는
장기요양급여를 원활하게 이용할 수 있도록 급여의 종류와 내용, 비용이 안내되어
있다. 장기요양인정을 받지 못한 경우에는 장기요양인정 신청결과 통보서가
발송된다.

⑤ 장기요양급여의 이용

장기요양급여 수급자는 자신의 선택에 따라 장기요양기관을 선택하고 계약을
체결하면 장기요양급여를 받을 수 있다.

3. 치매관리법

제1장 총칙

제1조(목적) 이 법은 치매의 예방, 치매환자의 진료·요양 및 치매퇴치를 위한 연구
등에 관한 정책을 종합적으로 수립·시행함으로써 치매로 인한 개인적 고통과 피해
및 사회적 부담을 줄이고 국민건강증진에 이바지함을 목적으로 한다.

제2조(정의) 이 법에서 사용하는 용어의 뜻은 다음과 같다.

1. "치매"란 퇴행성 뇌질환 또는 뇌혈관계 질환 등으로 인하여 기억력, 언어능력,
지남력(指南力), 판단력 및 수행능력 등의 기능이 저하됨으로써 일상생활에서
지장을 초래하는 후천적인 다발성 장애를 말한다.

2. "치매환자"란 치매로 인한 임상적 특징이 나타나는 사람으로서 의사 또는
한의사로부터 치매로 진단받은 사람을 말한다.

3. "치매관리"란 치매의 예방과 진료·요양 및 조사·연구 등을 말한다.

제3조(국가 등의 의무) ① 국가와 지방자치단체는 치매관리에 관한 사업(이하 "치매관리사업"이라 한다)을 시행하고 지원함으로써 치매를 예방하고 치매환자에게 적절한 의료서비스가 제공될 수 있도록 적극 노력하여야 한다.

② 국가와 지방자치단체는 치매환자를 돌보는 가족의 부담을 완화하기 위하여 노력하여야 한다. 〈신설 2015. 1. 28.〉

③ 국가와 지방자치단체는 치매와 치매예방에 관한 국민의 이해를 높이기 위하여 교육·홍보 등 필요한 시책을 마련하여 시행하여야 한다. 〈신설 2015. 1. 28.〉

④ 「의료법」에 따른 의료인, 의료기관의 장 및 의료업무 종사자는 국가와 지방자치단체가 실시하는 치매관리사업에 적극 협조하여야 한다. 〈개정 2015. 1. 28.〉

제4조(다른 법률과의 관계) 치매관리 및 치매환자에 대한 지원에 관하여는 다른 법률에 특별한 규정이 있는 경우를 제외하고는 이 법에서 정하는 바에 따른다.

제5조(치매극복의 날) ① 치매관리의 중요성을 널리 알리고 치매를 극복하기 위한 범국민적 공감대를 형성하기 위하여 매년 9월 21일을 치매극복의 날로 한다.

② 국가와 지방자치단체는 치매극복의 날 취지에 부합하는 행사와 교육·홍보 사업을 시행하여야 한다.

제2장 치매관리종합계획의 수립·시행 등

제6조(치매관리종합계획의 수립 등) ① 보건복지부장관은 제7조에 따른 국가치매관리위원회의 심의를 거쳐 치매관리에 관한 종합계획(이하 "종합계획"이라 한다)을 5년마다 수립하여야 한다. 종합계획 중 대통령령으로 정하는 중요한 사항을 변경하는 경우에도 또한 같다.

② 종합계획에는 다음 각 호의 사항이 포함되어야 한다. 〈개정 2015. 1. 28.〉

1. 치매의 예방·관리를 위한 기본시책

2. 치매검진사업의 추진계획 및 추진방법

3. 치매환자의 치료·보호 및 관리

4. 치매에 관한 홍보·교육

5. 치매에 관한 조사·연구 및 개발

6. 치매관리에 필요한 전문 인력의 육성

7. 치매환자가족에 대한 지원

8. 그 밖에 치매관리에 필요한 사항

③ 보건복지부장관은 확정된 종합계획을 관계 중앙행정기관의 장, 특별시장·광역시장·도지사·특별자치도지사(이하 "시·도지사"라 한다) 및 시장·군수·구청장(자치구의 구청장을 말한다. 이하 같다)에게 통보하여야 한다.

④ 관계 중앙행정기관의 장, 시·도지사 및 시장·군수·구청장은 종합계획에 따라 매년 치매관리에 관한 시행계획(이하 "시행계획"이라 한다)을 수립·시행 및 평가하여야 한다.

⑤ 보건복지부장관, 관계 중앙행정기관의 장, 시·도지사 및 시장·군수·구청장은 종합계획 또는 시행계획을 수립·시행하기 위하여 필요한 경우에는 관계 기관·단체·시설 등에 자료제공 및 업무협조를 요청할 수 있다. 이 경우 협조 요청을 받은 관계 기관 등은 특별한 사유가 없는 한 이에 따라야 한다.

⑥ 종합계획의 수립과 시행계획의 수립·시행 및 평가에 필요한 사항은 대통령령으로 정한다.

제7조(국가치매관리위원회) 보건복지부장관은 종합계획 수립 및 치매관리에 관한 중요 사항을 심의하기 위하여 보건복지부장관 소속으로 국가치매관리위원회(이하 "위원회"라 한다)를 둔다.

제8조(위원회의 구성) ① 위원회는 위원장 1명을 포함한 15명 이내의 위원으로 구성한다.

② 위원장은 보건복지부차관이 된다.

③ 위원은 치매에 관한 학식과 경험이 풍부한 사람 중에서 보건복지부장관이 임명 또는 위촉한다.

④ 그 밖에 위원회의 구성·조직 및 운영에 필요한 사항은 대통령령으로 정한다.

제9조(위원회의 기능) 위원회는 다음 각 호의 사항을 심의한다.

1. 국가치매관리 체계 및 제도의 발전에 관한 사항

2. 종합계획의 수립 및 평가에 관한 사항

3. 연도별 시행계획에 관한 사항

4. 치매관리사업의 예산에 관한 중요한 사항

5. 그 밖에 치매관리사업에 관한 중요한 사항으로서 위원장이 심의에 부치는 사항

제3장 치매연구사업 등

제10조(치매연구사업) ① 보건복지부장관은 치매의 예방과 진료기술의 발전을 위하여 치매 연구·개발 사업(이하 "치매연구사업"이라 한다)을 시행한다.

② 치매연구사업에는 다음 각 호의 사항이 포함되어야 한다.

1. 치매환자의 관리에 관한 표준지침의 연구

2. 치매 관련 의료 및 복지서비스에 관한 연구

3. 그 밖에 보건복지부령으로 정하는 사업

③ 보건복지부장관은 치매연구사업을 추진할 때 학계·연구기관 및 산업체 간의 공동연구사업을 우선 지원하여야 한다.

④ 보건복지부장관은 치매연구사업에 관한 국제협력의 증진을 위하여 노력하고 선진기술의 도입을 위한 전문인력의 국외파견 및 국내유치 등의 방안을 마련하여야 한다.

⑤ 보건복지부장관은 「의료법」 제3조제2항에 따른 종합병원(이하 "종합병원"이라 한다), 「사회복지사업법」 제2조제3호에 따른 사회복지법인, 그 밖의 보건의료 및 복지 관련 단체로 하여금 치매연구사업을 실시하게 할 수 있다.

⑥ 치매연구사업 지원에 필요한 사항은 보건복지부령으로 정한다.

제11조(치매검진사업) ① 보건복지부장관은 종합계획에 따라 치매를 조기에 발견하는 검진사업(이하 "치매검진사업"이라 한다)을 시행하여야 한다.

② 치매검진사업의 범위, 대상자, 검진주기 등에 필요한 사항은 대통령령으로 정한다.

③ 치매의 검진 방법 및 절차 등에 필요한 사항은 보건복지부령으로 정한다.

④ 국가는 치매검진을 받는 사람 중 「의료급여법」에 따른 의료급여수급자 및 대통령령으로 정하는 건강보험가입자에 대하여 그 비용의 전부 또는 일부를 지원할 수 있다.

제12조(치매환자의 의료비 지원사업) ① 국가와 지방자치단체는 치매환자의 경제적 부담능력을 고려하여 치매 치료 및 진단에 드는 비용을 예산에서 지원할 수 있다.

② 제1항에 따른 의료비 지원의 대상·기준 및 방법 등에 필요한 사항은 대통령령으로 정한다.

제12조의2(치매환자의 가족지원 사업) ① 국가와 지방자치단체는 치매환자의 가족을 위한 상담·교육 프로그램을 개발·보급하여야 한다.

② 제1항에 따른 상담·교육 프로그램의 개발·보급 및 지원 등에 필요한 사항은 보건복지부령으로 정한다.

제12조의3(성년후견제 이용지원) ① 지방자치단체의 장은 치매환자가 다음 각 호의 어느 하나에 해당하여 후견인을 선임할 필요가 있음에도 불구하고 자력으로 후견인을 선임하기 어렵다고 판단되는 경우에는 그를 위하여 「민법」에 따라 가정법원에 성년후견개시, 한정후견개시 또는 특정후견의 심판을 청구할 수 있다.

1. 일상생활에서 의사를 결정할 능력이 충분하지 아니하거나 매우 부족하여 의사결정의 대리 또는 지원이 필요하다고 볼 만한 상당한 이유가 있는 경우

2. 치매환자의 권리를 적절하게 대변하여 줄 가족이 없는 경우

3. 별도의 조치가 없으면 권리침해의 위험이 상당한 경우

② 지방자치단체의 장이 제1항에 따라 성년후견개시, 한정후견개시 또는 특정후견의 심판을 청구할 때에는 대통령령으로 정하는 요건을 갖춘 사람 또는 법인을 후견인 후보자로 하여 그 사람 또는 법인을 후견인으로 선임하여 줄 것을 함께 청구하여야 한다.

③ 지방자치단체의 장은 치매환자의 치료·보호 및 관리와 관련된 기관·법인·단체의 장에게 제2항에 따른 후견인 후보자를 추천하여 줄 것을 의뢰할 수 있다.

④ 국가와 지방자치단체는 제1항 및 제2항에 따라 선임된 후견인의 후견사무의 수행에 필요한 비용의 일부를 예산의 범위에서 보건복지부령으로 정하는 바에 따라 지원할 수 있다.

⑤ 제1항부터 제4항까지의 규정에 따른 후견제 이용지원의 요건, 후견인 후보자의 자격 및 추천 절차, 후견인 후견사무에 필요한 비용 지원 등에 필요한 사항은 보건복지부령으로 정한다.

[본조신설 2017. 9. 19.]

제13조(치매등록통계사업) 보건복지부장관은 치매의 발생과 관리실태에 관한 자료를 지속적이고 체계적으로 수집·분석하여 통계를 산출하기 위한 등록·관리·조사 사업(이하 "치매등록통계사업"이라 한다)을 시행하여야 한다.

제14조(역학조사) ① 보건복지부장관은 치매 발생의 원인 규명 등을 위하여 필요하다고 인정하는 때에는 역학조사를 실시할 수 있다.

② 제1항에 따른 역학조사의 실시 시기·방법 및 내용 등에 필요한 사항은 보건복지부령으로 정한다.

제15조(자료제공의 협조 등) ① 보건복지부장관은 치매환자를 진단·치료하는 의료인 또는 의료기관, 「국민건강보험법」에 따른 국민건강보험공단 및 건강 보험심사평가원, 관계 중앙행정기관의 장, 지방자치단체의 장, 공공기관의 장, 그 밖에 치매에 관한 사업을 하는 법인·단체에 대하여 보건복지부령으로 정하는 바에 따라 제13조의 치매등록통계사업, 제14조의 역학조사에 필요한 자료의 제출이나 의견의 진술 등을 요구할 수 있다. 이 경우 자료의 제출 등을 요구받은 자는 특별한 사유가 없으면 이에 따라야 한다.

② 보건복지부장관이 제1항에 따라 요구할 수 있는 자료는 특정 개인을 알아볼 수 없는 형태의 자료에 한정한다.

제16조(중앙치매센터의 설치) ① 보건복지부장관은 치매관리에 관한 다음 각 호의 업무를 수행하게 하기 위하여 중앙치매센터를 설치·운영할 수 있다. 〈개정 2015. 1. 28.〉

1. 치매연구사업에 대한 국내외의 추세 및 수요 예측

2. 치매연구사업 계획의 작성

3. 치매연구사업 과제의 공모·심의 및 선정

4. 치매연구사업 결과의 평가 및 활용

5. 삭제 〈2015. 1. 28.〉

6. 재가치매환자관리사업에 관련된 교육·훈련 및 지원 업무

7. 치매관리에 관한 홍보

8. 치매와 관련된 정보·통계의 수집·분석 및 제공

9. 치매와 관련된 국내외 협력

10. 치매의 예방·진단 및 치료 등에 관한 신기술의 개발 및 보급

11. 그 밖에 치매와 관련하여 보건복지부장관이 필요하다고 인정하는 업무

② 보건복지부장관은 제1항에 따른 중앙치매센터의 설치·운영을 그 업무에 필요한 전문인력과 시설을 갖춘 「의료법」 제3조제2항제3호의 병원급 의료기관에 위탁할 수 있다. 〈신설 2015. 1. 28.〉

③ 제1항에 따른 중앙치매센터의 설치·운영 및 제2항에 따른 위탁 등에 필요한 사항은 보건복지부령으로 정한다. 〈개정 2015. 1. 28.〉

[제목개정 2015. 1. 28.]

제16조의2(광역치매센터의 설치) ①시·도지사는 치매관리에 관한 다음 각 호의 업무를 수행하게 하기 위하여 보건복지부장관과 협의하여 광역치매센터를 설치·운영할 수 있다.

1. 치매관리사업 계획

2. 치매 연구

3. 치매상담센터 및 「노인복지법」 제31조에 따른 노인복지시설 등에 대한 기술 지원

4. 치매 관련 시설·인프라 등 자원조사 및 연계체계 마련

5. 치매 관련 종사인력에 대한 교육·훈련

6. 치매환자 및 가족에 대한 치매의 예방·교육 및 홍보

7. 치매에 관한 인식 개선 홍보

8. 그 밖에 보건복지부장관이 정하는 치매 관련 업무

② 시·도지사는 제1항에 따른 광역치매센터의 설치·운영을 그 업무에 필요한 전문인력과 시설을 갖춘 「의료법」 제3조제2항제3호의 병원급 의료기관에 위탁할 수 있다.

③ 제1항에 따른 광역치매센터의 설치·운영 및 제2항에 따른 위탁 등에 필요한 사항은 보건복지부령으로 정하는 바에 따라 해당 지방자치단체의 조례로 정한다.

[본조신설 2015. 1. 28.]

제17조(치매상담센터의 설치) ① 시·군·구의 관할 보건소에 치매예방 및 치매환자 관리를 위한 치매상담센터(이하 "치매상담센터"라 한다)를 설치한다.

② 치매상담센터는 다음 각 호의 업무를 수행한다.

1. 치매환자의 등록·관리

2. 치매등록통계사업의 지원

3. 치매의 예방·교육 및 홍보

4. 치매환자 및 가족 방문·관리

5. 치매조기검진

6. 그 밖에 시장·군수·구청장이 치매관리에 필요하다고 인정하는 업무

③ 치매상담센터의 인력기준 및 그 밖에 필요한 사항은 보건복지부령으로 정한다.

제17조의2(치매상담전화센터의 설치) ① 보건복지부장관은 치매예방, 치매 환자 관리 등에 관한 전문적이고 체계적인 상담 서비스를 제공하기 위하여 치매 상담전화센터를 설치할 수 있다.

② 치매상담전화센터는 다음 각 호의 업무를 수행한다.

1. 치매에 관한 정보제공

2. 치매환자의 치료·보호 및 관리에 관한 정보제공

3. 치매환자와 그 가족의 지원에 관한 정보제공

4. 치매환자의 가족에 대한 심리적 상담

5. 그 밖에 보건복지부장관이 필요하다고 인정하는 치매 관련 정보의 제공 및

상담

③ 보건복지부장관은 제1항에 따른 치매상담전화센터의 설치·운영을 그 업무에 필요한 전문인력과 시설을 갖춘 「의료법」 제3조제2항제3호의 병원급 의료기관, 치매관련 전문기관·법인·단체 등에 위탁할 수 있다.

④ 제1항에 따른 치매상담전화센터의 설치·운영 및 제3항에 따른 위탁 등에 필요한 사항은 보건복지부령으로 정한다.

[본조신설 2015. 1. 28.]

제4장 보칙

제18조(비용의 지원) ① 국가와 지방자치단체는 치매관리사업을 수행하는 자에 대하여 다음 각 호에 해당하는 비용의 전부 또는 일부를 지원할 수 있다. 〈개정 2015. 1. 28.〉

1. 제10조에 따른 치매연구사업, 제11조에 따른 치매검진사업, 제12조의2에 따른 치매환자의 가족지원 사업, 제13조에 따른 치매등록통계사업 및 제14조에 따른 역학조사 수행에 드는 비용

1의2. 제16조 및 제16조의2에 따른 중앙치매센터 및 광역치매센터의 설치·운영에 드는 비용

1의3. 제17조의2에 따른 치매상담전화센터의 설치·운영에 드는 비용

2. 치매관리사업에 대한 교육·홍보에 드는 비용

3. 치매관리사업에 필요한 전문인력의 교육·훈련에 드는 비용

4. 치매관리사업을 수행하는 법인·단체의 교육 및 홍보 사업에 드는 비용

② 제1항에 따른 비용 지원의 기준·방법 및 절차에 필요한 사항은 대통령령으로 정한다.

제19조(비밀누설의 금지) 이 법에 따라 치매관리사업에 종사하거나 종사하였던 자는 업무상 알게 된 비밀을 누설하여서는 아니 된다.

제20조(위임과 위탁) ① 이 법에 따른 보건복지부장관 또는 시·도지사의 권한은

대통령령으로 정하는 바에 따라 그 일부를 시·도지사 또는 시장·군수·구청장에게 위임할 수 있다.

② 이 법에 따른 보건복지부장관, 시·도지사 또는 시장·군수·구청장의 권한은 대통령령으로 정하는 바에 따라 그 일부를 치매관리사업을 수행할 수 있는 법인·단체 등에 위탁하여 시행할 수 있다.

제5장 벌칙

제21조(벌칙) 제19조를 위반하여 비밀을 누설한 자는 2년 이하의 징역 또는 2천만원 이하의 벌금에 처한다.

펼침 부   칙 〈법률 제11013호, 2011. 8. 4.〉 부칙보기

① (시행일) 이 법은 공포 후 6개월이 경과한 날부터 시행한다.

② (치매상담센터에 대한 경과조치) 종전의 「노인복지법」 제29조의2에 따라 설치·운영 중인 치매상담센터는 이 법에 따른 치매상담센터로 본다.

③ (다른 법률의 개정) 노인복지법 일부를 다음과 같이 개정한다.

제1조의2제3호를 다음과 같이 하고, 제6조제3항, 제29조 및 제29조의2를 각각 삭제한다.

3. "치매"란 「치매관리법」 제2조제1호에 따른 치매를 말한다.

부칙 부   칙 〈법률 제13112호, 2015. 1. 28.〉

이 법은 공포 후 6개월이 경과한 날부터 시행한다.

부칙 부   칙 〈법률 제14896호, 2017. 9. 19.〉

이 법은 공포 후 1년이 경과한 날부터 시행한다.

참고문헌

· 강동헌, 송욱, 「운동이 인지장애노인의 인지기능에 미치는 효과」, 『스포츠과학 리뷰』, 제8권, 2014

· 고지희, 김경태, 「고령화사회에 따른 노인교육 프로그램의 활성화 방안에 관한 연구」, 『장안논총』, 제25집, 2005

· 고재욱, 성현주, 『시니어 스토리텔링 놀이치료』, 문헌, 2016

· 권용철, 박종한. 「노인용 한국판 Mini-Mental State Examination(MMSE-K)의 표준 화 연구 제1편: MMSE-K 개발」, 『신경정신의학』, 28(1), 1989, 128-135

· 권중돈, 『치매환자와 가족복지』, 학지사, 2012

· 권중돈, 『치매환자를 위한 프로그램의 실제』, 학현사, 2004

· 김경재 외, 『치매케어』, 문예미디어, 2015

· 김수경, 「노인 및 치매환자의 회상치료 효과」, 『대한작업치료학회지』, 제11권 제2 호, 2003

· 김영숙, 「사진을 활용한 집단 미술치료가 노인의 회상기능과 자아통합감에 미치는 영향」, 대구사이버대학교 석사학위 논문, 2014

· 김옥진, 「치매환자에 대한 동물매개치료의 효과」, 『대한수의사회지』, v.49 no.5, 2013, pp. 302-304

· 김용태, 「헌법과 노인교육」, 『법학논총』, 제20집, 2013

· 김윤재 외, 『노인복지론』, 교육과학사, 2016

· 김윤재, 「치매의 이론적 이해」, 『교수논문집』, Vol6, 2002

· 김희경 이옥란, 「음악요법이 치매노인의 인지기능, 치매행동 및 정서에 미치는 영향」, 『성인간호학회지』, 제12권 제3호, 2000

- 나덕렬, 『뇌美인』 위즈덤스타일, 2012

- 노효련, 황기철, 감진아, 「의도적인 다감각환경 프로그램이 치매노인의 일상생활활 동과 인지기능에 미치는 효과」, 『특수교육재활과학연구』, Vol 50, No.3, 2011

- 도복름, 김영숙, 「치매와 회상을 적용한 미술치료」, 『김천과학대학 논문집』, 제29집, 2003

- 박응희, 「노인교육 방법의 혁신에 관한 연구」, 『부산여자대학교논문집』, 제24권, 2002, PP.353-371

- 백승민, 「동물매개치료 프로그램이 치매노인의 인지기능, 정서상태, 일상생활 수행능력 및 문제행동에 미치는 효과」, 가톨릭대학교 대학원 간호학과 박사학위 논문, 2016

- 버지니아 벨. 데이비드 트룩셀, 『치매 고귀함을 잃지 않는 삶』, 이애영, 학지사, 2006

- 손영호, 「치매예방」, 『한국건강관리협회지』, 제2권 제2호, 2004, p149-153

- 신복기, 황인옥, 「원예치료가 치매노인의 인지적 기능 향상에 미치는 효과」, 『사회복지연구』, 2002

- 신정윤, 치매 종류별 초기증상 8가지, 하이닥, 2016.4.11

- 신현욱, 「통합인지기능강화프로그램이 노인의 인지기능과 우울 및 일상생활수행에 미치는 효과」, 대구가톨릭대학교 대학원 박사학위 논문, 2016

- 안홍순, 『노인복지론』, 공동체, 2013

- 양기화, 『치매 당신도 고칠 수 있다』, 중앙생활사, 2017

- 오오쿠니 미치고, 『그림으로 보는 치매 이야기 치매사례에서 케어까지』, 주식회사 노인연구정보센터, 2012

- 우치다병원 인지증 서포트팀, 『인지증 케어 비결』, 야마구치 하루야스/다나카

유키코 편, 북마크, 2016

· 윤승천, 『치매2016』, 건강신문사, 2016

· 이경남, 「치매가족상담 프로그램 운영 및 실천방안 연구」, 『부산여자대학교논문집』 제30호, 2008, pp.135-168

· 이경남, 「치매의 사회복지적 접근」, 『부산여자대학교논문집』, 제31호, 2009, pp.163-191

· 이경희, 「노인치매환자의 간호관리」, 『대한간호』, 제37권 제1호, 1998

· 이병희, 박준수, 김나라, 「신체활동 프로그램이 치매노인의 인지, 신체적 수행능력, 보행, 삶의 질 및 우울에 미치는 효과」, 『특수교육재활과학연구』, vol.50, No. 2, 2011

· 이소영, 「시설치매노인의 기억력 회상을 위한 사진치료 사례연구 : 사진치료 기법개발을 중심으로」, 원광대학교 동서보완의학대학원 석사학위 논문, 2009

· 장하성, 「집단인정치료 프로그램이 치매노인의 증상과 삶의 질에 미치는 영향」, 대구가톨릭대학교 대학원 사회복지학과 박사학위 논문, 2008

· 정수경, 최병목, 이현송, 『치매 간병의 지혜』, 메디시언, 2006

· 정영조, 이승환, 「치매의 예방과 관리」, 『인제의학』, 제21권, 제1호, 2000, pp.11~19

· 조유향, 『치매노인케어론』, 집문당, 2006

· 조현, 고준기, 『치매노인과 장기요양보험』, 계축문화사, 2013

· 주영숙, 「우리나라 노인교육의 현황과 문제점에 관한 연구」, 『교육연구』, 제7호, 1999

· 진주희, 「노년기 주관적 기억장애의 임상적 하위유형 및 심리적 특성」, 연세대학교 대학원 심리학과 박사학위 논문, 2011

- 허성진, 조영남, 정재훈, 「작업기억훈련 프로그램이 경도인지장애 환자의 인지기능 에 미치는 영향」, 『대한인지재활학회지』, 제5권 제1호, 2016

- 허준수, 유수현, 「노인의 우울에 영향을 미치는 요인에 관한 연구」, 『정신보건과 사회사업』, vOL.13, 2002, pp.7-35

- 황보난이, 「노년기의 노화과정에서 형성되는 지혜에 대한 고찰」, 백석대학교 기독교 전문대학원 박사학위 논문, 2016

- 황인담, 「독서요법이 경증치매노인의 인지력과 우울증 및 사회성에 미치는 효과」, 계명대학교대학원 문헌정보학과 박사학위 논문, 2009

- 황인옥, 여창호, 「원예치료가 치매노인의 정서적 기능향상에 미치는 효과」, 『부산여 자대학교논문집』, 제23, 2000

- 황지철, 김진아, 「의도적인 다감각환경(snoezelen) 프로그램이 치매노인의 이상행동 에 미치는 효과」, 『특수교육재활과학연구』, Vol 49. No. 3, 2010, pp.109-130

- Feil N. The Validation Breakthrough : Simple Techniques for Communicating with People with 'Alzheimer's-Type Dementia. Baltimore: Health Professions Pres, 1993

- Troyer,A.K. & Rich,J.B, Psychometric properties of a new metamemory questionnaire for older adults. The Journals of Gerontology. Series B, Psychological Sciences and Social Sciences, 57(1), 2002, 19-27

치매예방과 관리

2018년 10월 3일 1판 1쇄 발행
2023년 12월 1일 1판 4쇄 발행

지 은 이 ● 윤소영

펴 낸 곳 ● (주)한국실버교육협회
　　　　　 경기도 성남시 분당구 운중로 122 601호

대표전화 ● 02-313-0013

홈페이지 ● www.ksea.co.kr
　　　　　 www.injinet.kr

이 메 일 ● ksea7777@daum.net

I S B N ● 979-11-964859-0-0

정가 15,000원

이 도서의 국립중앙도서관 출판예정도서목록(CIP)은 서지정보유통지원시스템 홈페이지(http://seoji.nl.go.kr)와 국가자료종합목록시스템(http://www.nl.go.kr/kolisnet)에서 이용하실 수 있습니다. (CIP제어번호 : CIP2018029668)